JN225421

トガリ山のぼうけん⑧

てっぺんの湖《みずうみ》

いわむら かずお

理論社

もくじ

こんやも、トガリィじいさんのへやにやってきたのは、三びきのトガリネズミの子どもたちだ。名前《なまえ》は、キッキにセッセにクック。近《ちか》くに住《す》む、トガリィじいさんのまごたちだ。みんな、トガリィじいさんの話《はなし》が大すき。

「よおし、トガリ山のぼうけんの、つづきをはじめよう」

トガリィじいさんが、じょうきげんでいった。

「ドキドキ、トガリ山のぼうけん！」

キッキがむねに手をあてた。

「やったぜ」

セッセが、パチッとゆびを鳴《な》らした。

「雲《くも》の上のタマシイ、シイの話《はなし》！」

クックが目をかがやかせた。

「その話は、もうきいたろ」

セッセがいうと、

「じゃ、アノヨハコノヨ、コノヨハアノヨの話！」

クックが右手をつきあげた。

「それも、もうきいたじゃないか」

セッセが、口をとがらせて、クックをにらみつけた。

「じゃあ……」

クックが、てんじょうを見あげて考《かんが》えていると、

「つづきっていうのは、きのうきいた話の、その先《さき》の話っていったでしよ」

キッキが、まるでおかあさんみたいにいった。

「ふむ、クックは、雲《くも》の上のタマシイたちのことが、まだ気《き》になるんだな。その話は、またこんどきかせてあげるからな。さて、ゆうべはどこまで話《はな》したかな」

トガリィじいさんは、にこにこしながら、三びきの顔《かお》を見まわした。

「風にふきとばされて、おじいちゃん、しっぽにけがしたんだ」

「ライチョウが、水《みず》でひやすといいって、おしえてくれた」

「しっぽが、かってに、どこかにいっちゃった」

「イワザルの子どもがいたんだ」

「しわだらけの、年老《としお》いたサルになっていた」

「温泉《おんせん》にはいるといいって、おしえてくれた」

キッキとセッセがかわるがわるいった。

「サルは、雲《くも》の中にすいこまれて、まいあがっていったんだよね」

キッキが、ほっぺたに手をあてて、遠《とお》くを見つめていった。

「アノヨにいったの？」

セッセがトガリィじいさんを見ると、

「アノヨはコノヨなんだよ、ね、おじいちゃん」

クックもトガリィじいさんを見た。

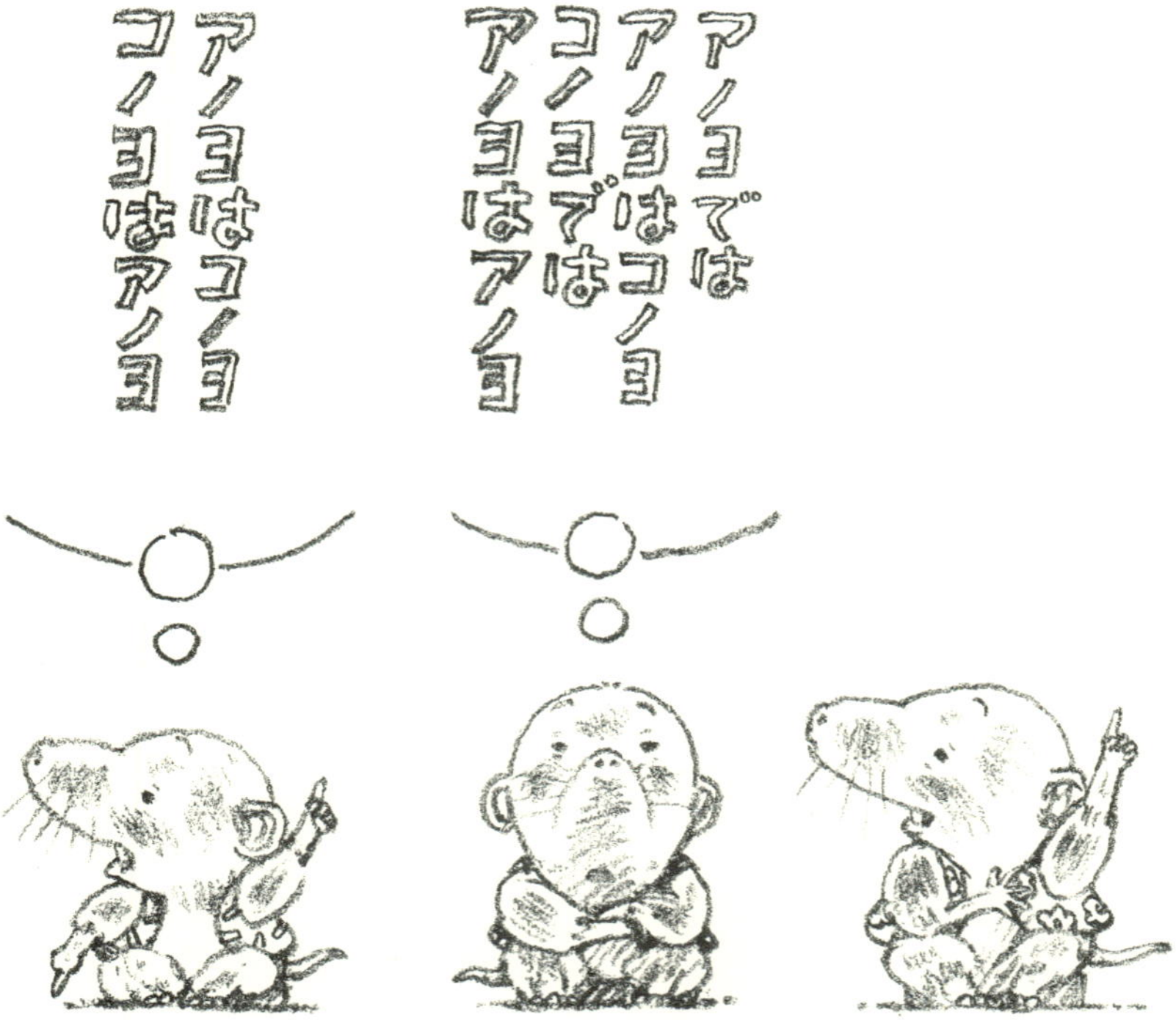
アノヨでは
アノヨはコノヨ
コノヨでは
アノヨはアノヨ
アノヨはコノヨ
コノヨはアノヨ

「アノヨにいけば、アノヨはコノヨだけど、コノヨにいれば、アノヨはアノヨなんだぜ」

セッセがうでぐみをして、クックをにらんだ。

「おじいちゃんも、ちょっとだけアノヨにいってきたんだもんね」

キッキがトガリィじいさんを見つめると、

「トガリネズミみたいな顔《かお》の雲《くも》が、コノヨにつれもどしてくれたんだ」

セッセがうでぐみをしたままいった。

「コノヨはアノヨなんだよ、ね、おじいちゃん」

クックもまけずに、またいった。

「ライチョウのおばさんが、たすけてくれたんだね」

キッキがしんみりいうと、

「もう、てっぺんにつくんでしょ」

セッセが立ちあがった。

「ね、ね、はやく、てっぺんにいこ」

クックもトガリィじいさんのそばにすりよった。

「わかった。それじゃ、ゆうべのつづき、トガリ山のぼうけんの話《はなし》をはじめるとしよう」

トガリィじいさんは、鼻《はな》をひくひくと動《うご》かして、めがねにちょっと手《て》をやった。

1 てっぺんが見えた

わしは、ライチョウのむねの中で目をさました。ほっかりとあたたかいむねの中に、やわらかい光《ひかり》がはいりこんでいた。

テントは、わしのすぐよこで、リュックのポケットにはいってねむっていた。わしはテントをそのままにして、そっとライチョウの羽《はね》をかきわけて、そとにでた。

「おや、目がさめたのかい。気分《きぶん》はどう？」

ライチョウが、上からわしの顔《かお》をのぞきこんだ。

わしはすっかり元気《げんき》になっていた。とても気分がいいし、しっぽを動《うご》かしても、もう、いたみも感《かん》じない。

ライチョウの顔《かお》の上に、青空がひろがっていた。わしがねむるまえまで、あたりをつつんでいた霧《きり》も雲《くも》も、いつのまにかどこかへきえてなくなっていた。

「あっ、トガリ山！」

わしは思《おも》わずさけんだ。ライチョウの体のかげになっていて、すぐに気がつかなかったのだが、目の前《まえ》に

トガリ山のてっぺんが見えた。

「あそこが、トガリ山のてっぺん！」

わしが両手《りょうて》をにぎりしめて見あげると、

「そうだよ、あそこがてっぺんさ」

ライチョウも、じっとてっぺんを見つめた。太陽《たいよう》が西にかたむき、トガリ山の半分《はんぶん》にこいかげをつくっていた。

「雲《くも》のぼうしをかぶっていないね」

「ここは雲の上、下から見れば、トガリ山は今《いま》も雲のぼうしをかぶっているのさ」

ライチョウがかけの下をのぞきこんだ。

「てっぺん、あそこが？」

テントが、かた手でしょっ角《かく》をこすりながら、ライチョウのむねの中からでてきた。

「テント、ほら、てっぺんはすぐそこだよ」

わしがゆびさすと、

「すぐそこだよ、ほら？」

テントはねむそうにいって、わしの肩《かた》によじのぼってきた。

はじめて近《ちか》くで見るトガリ山のてっぺんは、それまで思《おも》っていたように、とがってはいなかった。まるで、先をきりとったみたいに、てっぺんがたいらになっていた。

「てっぺんには、なにがあるんだろう。てっぺんからなにが見えるんだろう」

わしは早くてっぺんへ行きたくなった。体がげんきになったら、心もはずんできた。

「テント、しゅっぱつしよう！」

わしがいうとテントは、

「トガリィ、ほんとに、だいじょうぶ、もう」

と、わしの顔《かお》をのぞきこんだ。

「だいじょうぶさ、ぼくはすっかりげんきになった」

わしは、ぴょんと身《み》がるに岩《いわ》の上にとびのって、

「このとおり、げんきになった」

しっぽをぴんと立ててみせた。テントは、

「えいっ！」

とさけんで、肩《かた》からしっぽの先にとびうつると、

「げんきになった、このとおり？」

両手《りょうて》をひろげてしっぽを見おろし、うれしそうにいった。

「てっぺんへ行こうぜ」

わしがもう一度《ど》いうと、

「行こうぜ、てっぺんへ」

テントも大声《おおごえ》でいって、こんどは頭《あたま》の上にとびうつった。

「げんきになってほんとによかった。それじゃ、そこまでおくっていこう」

ライチョウはゆっくり立ちあがり、ぶるっと体をふるわせると、首《くび》をのばして、トガリ山のてっぺんを見あげた。

「ありがとうございました。おばさんは、ぼくのいの

ちのおんじんです」

わしがおれいをいうと、

「なにいってんのさ。あんたがげんきになって、あたしもうれしいよ」

ライチョウは歩《ある》きだしながら、前をむいたままいった。

それからしばらくだまって歩いていたライチョウが、ちょっとふりかえって、しんみりと話《はな》しはじめた。

「じつはね、夏《なつ》のはじめごろのことだけれど、子どもをなくしてしまってねぇ」

ライチョウは空を見あげて、

「あっというまのことだったんだよ。ワシがおそってきて、子どもを羽《はね》の下にかくすまもなかった。気がついたときには、子どもはもうワシといっしょに空の上さ。おいかけたが、あたしらライチョウは、ワシのように高《たか》くも長《なが》くも飛《と》べない。山に生きるもののさだめと、あきらめるしかなかったのさ」

ライチョウは足をとめて、目をおとした。
「山に生きるもののさだめ？」
「さだめ？」
「そう、山に生きるものは、
山に生きるものを食《く》い、
山に生きるものに
食われる」

「それが山に生きるもののさだめなのさ」

ライチョウは、岩《いわ》のあいだの歩《ある》きやすそうなところをさがしながら、ゆっくりとすすんだ。

「それで、よわっているあんたを見たら、じぶんの子どものように思《おも》えて、たすけてやりたいと思ったんだ」

わしのことを、いっしょうけんめいあたためてくれたライチョウのむねの中に、そんなかなしみがあったなんて。わしはなんといってなぐさめたらいいのか、わからなかった。

「山のさだめは、かなしい」

テントがわしの頭《あたま》の上でつぶやいた。

「食《く》われるものにとっては、かなしみ。食うものにとっては、よろこび。生きるもののさだめはきびしいものだねぇ」

ライチョウはまた立ちどまって、

「食《く》われないように身《み》をまもるのも、生きるもののつとめだよ」

といって、するどい目つきになって空を見まわした。

「いきるものの、つとめ？」

「つとめ？」

「そう、じぶんのいのちをじぶんでまもって、しっかりと生きることが、生きるもののつとめさ」

ライチョウは、空にワシもタカもいないのをたしかめると、また岩《いわ》のあいだを歩《ある》きだした。

ゆうがたの空に、あわいピンクの雲《くも》がほそ長《なが》くのびて、トガリ山のてっぺんにかかっていた。

2 いちばん星《ぼし》

「あっ、あれはなに？」

黒《くろ》い岩《いわ》ばかりの谷《たに》をおりたところに、白く光《ひか》っている場所《ばしょ》がある。まるで、白い鳥《とり》が羽《はね》を広げて飛《と》んでいるように見える。

「なに、あれは？」

テントも、わしの頭《あたま》の上にのぼってきて、谷そこをゆびさした。

「あれは雪《ゆき》だよ」

前《まえ》をいくライチョウが立ちどまっていった。

「ゆき？」

「そう、ふゆにふった雪が、とけずにのこっているの」

「へえ、夏《なつ》になってもとけないの？」

「高《たか》い山は、夏になってもすずしいし、よるは、こおりがはるほどひえこむこともあるからね。あつくつもったこの谷の雪は、一年じゅうきえてしまうことがないんだよ。見てごらん、まるであたしたちライチョウが、飛んでいるみたいだろ。それで、ここからはじま

る沢《さわ》を、ライチョウ沢《さわ》とよぶのさ」

わしたちは白い雪《ゆき》の谷《たに》、ライチョウ沢へおりていった。

そこは、白いこおりの池《いけ》のようだった。近《ちか》づくと、雪の上はたいらではなかった。風《かぜ》がつくったのだろうか、波《なみ》がこおりついたように小山《こやま》になってならんでいた。雪はとけかかっては、こおりつくのをくりかえしているのだろう。

ゆう日がよこからさしこんできて、こおりのひとつぶひとつぶが、オレンジいろやむらさきいろにかがやいて見えた。

「ライチョウのおばさんは、さむいふゆを、ずっとこのトガリ山でくらしているの？」

わしは雪の小山にのぼってライチョウを見た。

「あたしたちライチョウは、さむいところがすきなのさ。なにしろ、ライチョウの祖先《そせん》は、この地球《ちきゅう》がつめたいこおりにおおわれていた、そんな大昔《おおむかし》から生きての

びてきた鳥《とり》だといわれているんだよ」

「おおむかし?」

「雪《ゆき》がつもり、大きなこおりの川になって流《なが》れていたっていうんだ」

「こおりの川?」

「だから、ライチョウはもともとさむいところがすきなのさ。地球《ちきゅう》がだんだんあたたかくなって、こおりがとけてくると、ライチョウの祖先《そせん》たちは、雪がふるさむい山の上へ上へと、くらす場所《ばしょ》をうつしていったんだそうだよ」

「おおむかしって、ずっとずっと、遠《とお》い遠《とお》い、昔《むかし》なんだろうね」

夏《なつ》になってもとけないこの雪はそんな大昔《おおむかし》からここにあるんだろうか。そんなことを思《おも》うと、わしはとてもふしぎな気もちになった。

「遠い遠い、ずっとずっと、大昔……」

テントが、わしの肩《かた》の上におりてきて、しゃがみこんだ。

「ぼくたちトガリネズミの祖先《そせん》も、この地球《ちきゅう》にきょうりゅうがくらしていた、そんな大昔《おおむかし》から、ずっと生きてきたんだと、じいさんからきいたことがある」

「まあ、トガリネズミもそんな大昔から、生きてきたのね」

わしとライチョウは、よこにならんで歩《ある》きながら、ゆめのような遠《とお》い昔へ、こころをはこんでいた。

「テントウムシの祖先だって、いたんだ、大昔から」

テントがきゅうに、ちょっとおこったようにいった。

「そうだよ。きっと、テントウムシの祖先も、ずっと

大昔《おおむかし》に生まれたんだ」

わしがいうと、

「太陽《たいよう》から生まれたんだ、テントウムシ」

テントが肩《かた》の上でむねをはった。

「あたしたちのいのちは、そうやって、ずっとずっと大昔から、親《おや》から子へうけつがれて、生きつづけてきた。何百万年《なんびゃくまんねん》も何千万年《なんぜんまんねん》も昔からつたえられてきただぶんのいのち。それを、つぎのものへとつたえていく。それが生まれてきたもののやくめなんだろうねえ」

ライチョウは、こおりの池《いけ》のはじまでくると、立ちどまり、うしろをふりかえった。ライチョウ沢《さわ》の谷《たに》の下に、雲《くも》が広いはらっぱのようにしきつめられ、そのむこうに、ギラギラともえる太陽がしずんでいこうとしていた。

「こんやはきっとはれだね。てっぺんから、うつくしい星《ほし》たちをよく見てくるといい。てっぺんの星空《ほしぞら》は、すばらしいからね。星たちは、あたしたちの祖先《そせん》より、

もっともっと大昔《おおむかし》にうまれ、広い宇宙《うちゅう》でかがやいてきたんだというよ。星《ほし》たちの長《なが》い長い時間《じかん》を見てくるといい」

「星たちの長い時間？」

「時間？長い長い？」

わたしたちはしずんでいく太陽《たいよう》を見つめた。太陽はみるみるうちに雲《くも》の中にもぐりこみ、光《ひかり》が線《せん》になって、天《てん》にむかって広がった。

太陽はひるのおわりをつげてすがたをけした。太陽がのこしていった赤くそまった空を、わたしたちはしばらくそのまま見つめていた。

「じゃ、気をつけて行っておいで」

空が赤むらさきにかわりはじめると、ライチョウがやさしくいった。

「ありがとう、ライチョウのおばさん」

「ありがとう」

わしとテントがいっしょにおじぎをすると、ライチョウはわらって、

「じゃ、げんきでね」

といった。それから、ゆっくりと、しずんでいったゆう日にむかって、ライチョウ沢《さわ》をおりていった。

「あっ、いちばん星《ぼし》」

テントがゆびさした。ライチョウ沢の上に、星《ほし》がひとつ、明《あか》るくかがやきはじめていた。

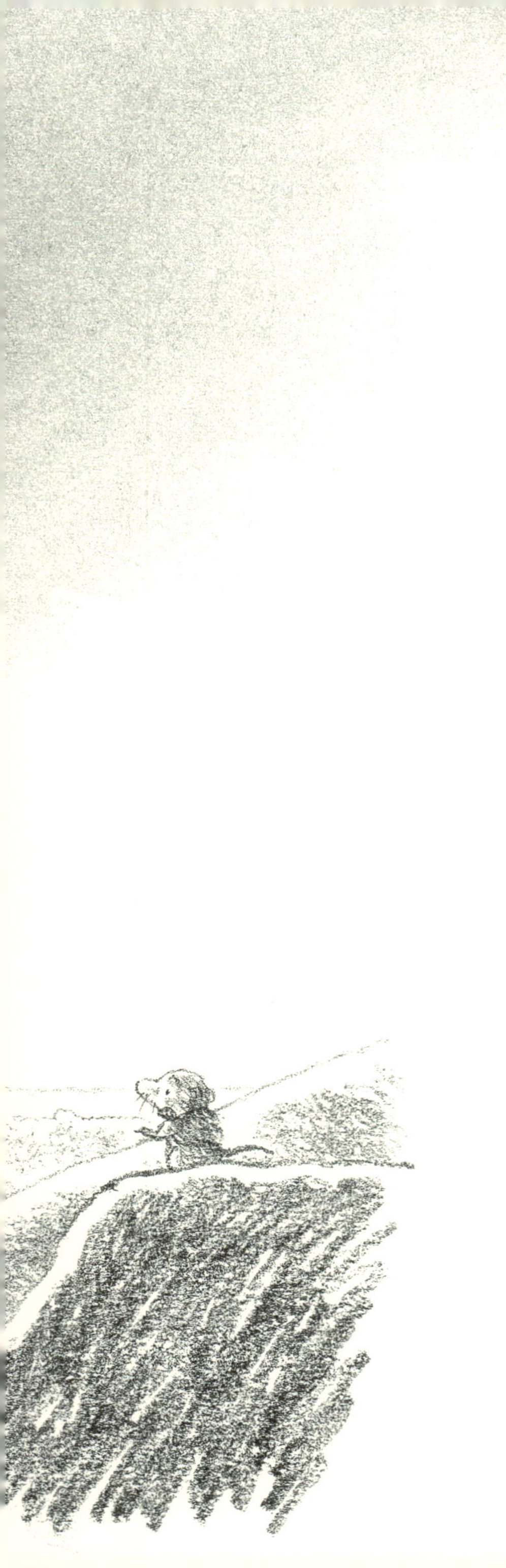

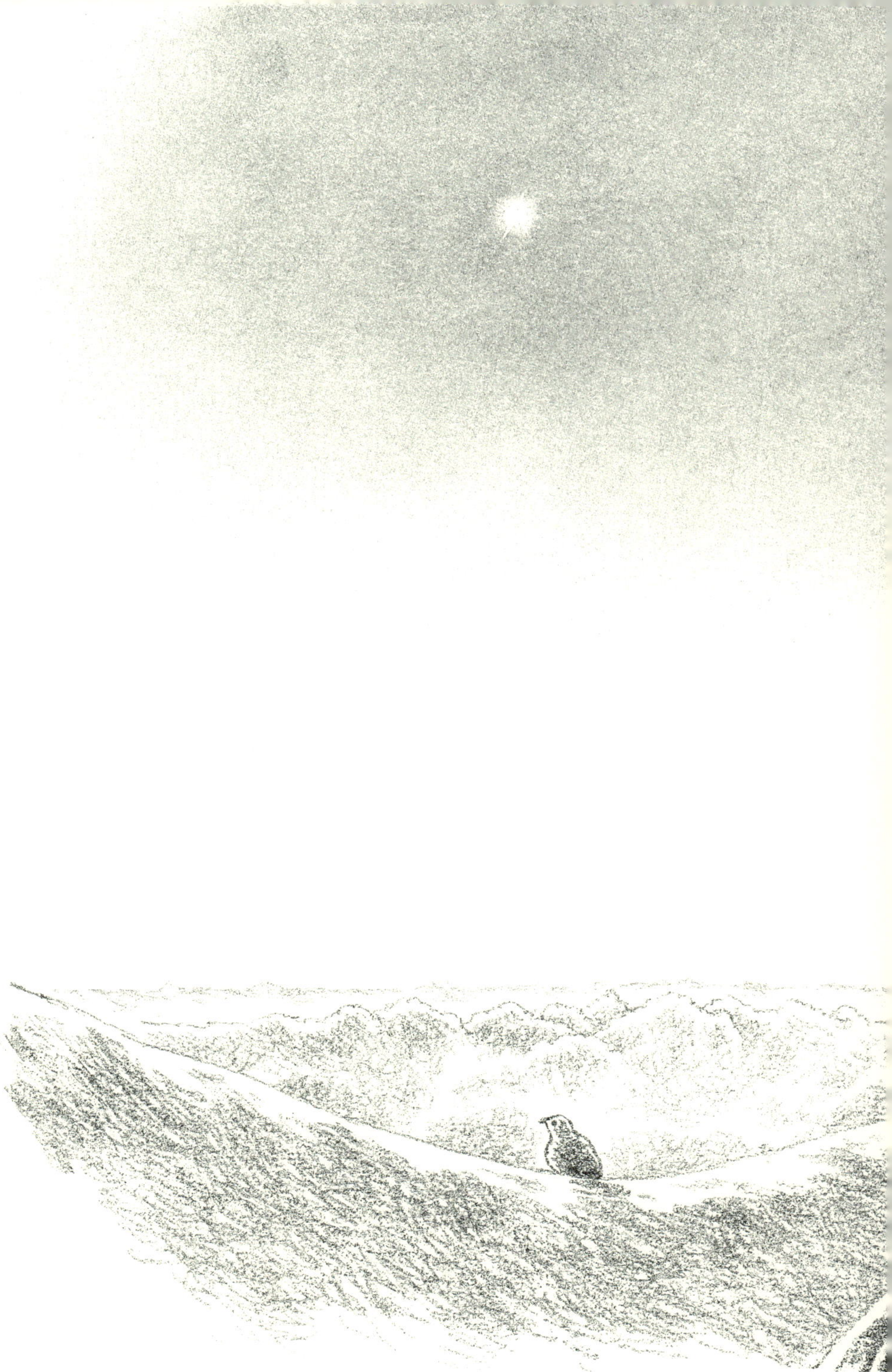

3

てっぺんの湖《みずうみ》

黒《くろ》ぐろとした岩《いわ》と岩のあいだに、夜《よる》のヤミがうずくまり、そとにでるじゅんびをしていた。太陽《たいよう》がのこしていった西の空《そら》の赤むらさきも、だんだんうすくなって、もうすぐきえようとしていた。

さっきまでゆう日をうけて、赤くかがやいていたトガリ山は、こい青むらさきにいろをかえて、しずかにわしたちを見おろしていた。ゴツゴツした黒い岩がころがる谷《たに》は、てっぺんまでつづいているようだった。

「てっぺんはもうすぐだ。さあ、いこう」

わしが歩《ある》きはじめると、

「行こう、さあ」

肩《かた》の上にいたテントが、頭《あたま》の上にかけのぼってきた。

岩《いわ》のかげのヤミのなかに、まよいこまないように気をつけながら、わしは歩《ある》きやすそうなところをえらんでのぼっていった。

「てっぺんの上に、二ばん星《ぼし》!」

テントがさけんだ。見あげると、

トガリ山のてっぺんに、ちょうどのっかるように、明《あか》るい星《ほし》がかがやきはじめていた。

「あそこに、三ばん星と四ばん星！」

わしもまけずにいった。てっぺんをおりたところの右がわにひとつ、左がわにひとつ、星がいつのまにか顔《かお》をだしていた。

「てっぺんから見る星はきれいだって、ライチョウのおばさんがいってたけど、てっぺんは星に近《ちか》いからかもしれない」

てっぺんにむかってのぼっていくということは、星にむかってのぼっていくことのように思《おも》えてきた。

「星に近いんだ、てっぺんは」

テントが頭《あたま》の上でかん高《だか》い声《こえ》をはりあげた。

だんだんきゅうなのぼり坂《ざか》になってきた。見あげても、てっぺんは岩《いわ》のかげになって見えなくなった。いまにもくずれおちそうな黒《くろ》い岩のあいだを、わしはちゅういぶかくのぼっていった。

岩《いわ》のあいだにひそんでいた夜《よる》のヤミは、岩をおおいかくすようにしながら、あたりに広がっていった。トガリ山の上に、星《ほし》たちがつぎつぎにすがたをあらわした。

「きゅうに、すずしくなったね」

「なった、すずしく」

空《そら》に星がひとつふえるごとに、トガリ山の空気《くうき》がひえこんできた。雲《くも》の中にすがたをけした太陽《たいよう》が、わしたちからどんどん遠《とお》ざかっていくのだろう。

しばらく行《い》くと、ひときわ大きな岩が、行く手をさえぎって、でんとすわりこんでいた。黒《くろ》いかべのような岩のまんなかあたりで、われ目がよこにはしり、水《みず》がしみだしていた。こんなかたい岩の中に、水がしまいこまれているのだろうか。なんだかふしぎな気がした。それとも、この岩は、宇宙《うちゅう》から水をはこんできた流《なが》れ星《ぼし》なのだろうか。

大きな岩の下の方に、せまいすきまを見つけてよじのぼると、ふいにたいらなところへでた。

空《そら》が頭《あたま》の上いっぱいに広がっていた。

「ここが、てっぺん、てっぺんかな?」

「てっぺん? ここが? かな?」

わしとテントは空を見あげた。

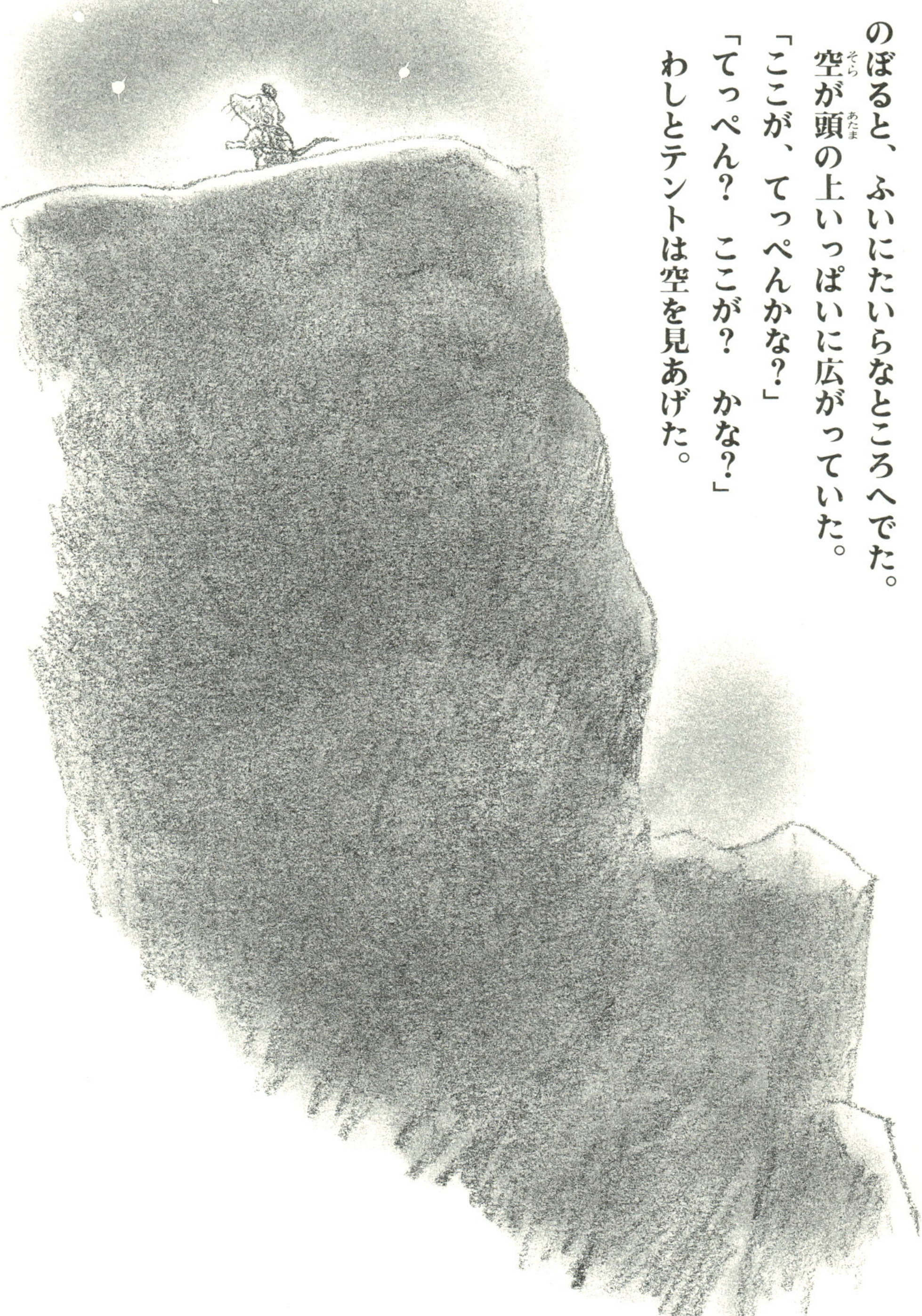

すぐそこに、大きな星《ほし》がかがやいていた。星はいまにも音《おと》をたてそうなほどに、ギラギラと光《ひか》っていた。

わしたちのまわりには、いくつもの岩《いわ》が黒《くろ》いかげになって、まるで生きものみたいにすわりこんでいた。岩のあいだには草《くさ》がしげり、ときおり吹《ふ》いてくる風《かぜ》にゆれていた。

「そこの岩にのぼってみよう。まわりのようすが、もっとわかるかもしれない」

わしは、そのあたりで一ばん背《せ》の高《たか》い岩をえらんで、よじのぼった。

「すごいなあ、この星たち」

わしはあらためて空を見まわした。こうしているあいだにも、星のかずはどんどんふえてくる。ふもとでは見たこともない大きな星がいくつもある。わしたちが立っている場所《ばしょ》よりひくいところにも、星がかがやきはじめた。わしたちは、まるで星空《ほしぞら》にうかんでいるみたいだ。

「あっ、あそこにも、空《そら》！」

テントが、わしの頭《あたま》の上でさけんだ。

「えっ、空？」

「そら、まるい空」

テントが、わしの鼻先《はなさき》にかけおりてきてゆびさした。いまのぼってきたのとは、はんたいがわの谷《たに》に、まるい空のようなものが、ぼんやりと見えた。

「もうひとつの、空？」

「空、もうひとつの？」

トガリ山のてっぺんは、大きなおわんのようにへこんでいて、まわりを、黒《くろ》い岩《いわ》がころがるみねがとりかこんでいた。わしたちは、みねからおわんの底《そこ》を見おろしていたのだ。

「行《い》ってみよう、あそこへ」

テントがささやくようにいって、頭の上にもどった。

わしは岩からとびおり、草《くさ》のあいだをぬって、おわ

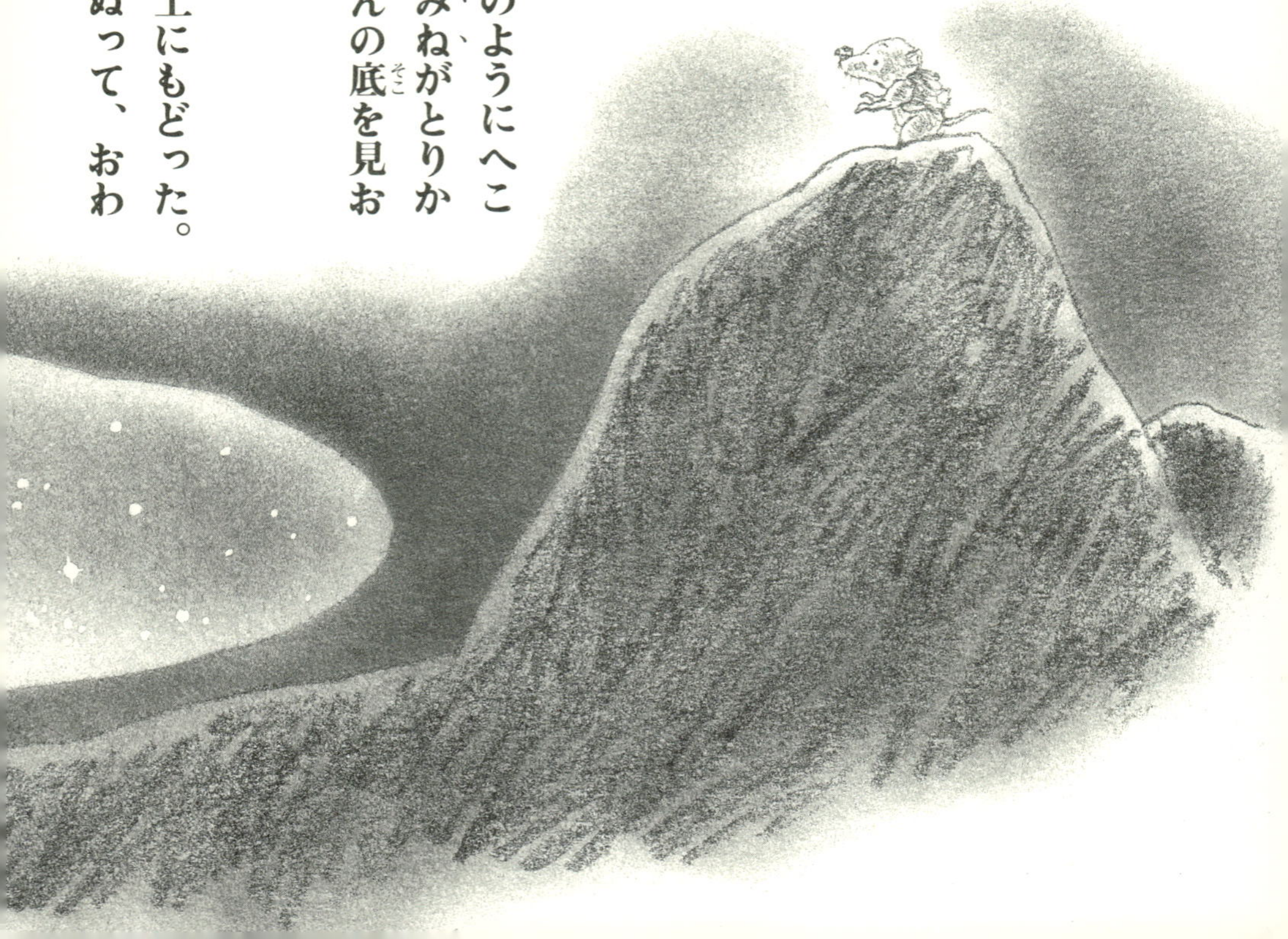

んの底《そこ》の空《そら》を見に、おりていった。

岩《いわ》のころがるがけをおりると、草地《くさち》がおわって、石ころだらけのところにでた。大きい石小さい石、白い石黒い石、赤いのや青いのもある。わしが石の上をはねるかすかな音が、いやに大きくきこえる。

わしは立ちどまって、まるい空をながめた。

「もうひとつの空にも、星《ほし》が光《ひか》ってる」

テントがいった。たしかに、くらやみにぼんやりうかぶまるい空の中に、たくさんの星がかがやいている。

「もっと、近《ちか》くへ行《い》ってみよう」

わしはさらにまるい空に近づいて、じっと星たちを見つめた。星たちは、ときどきゆれては、かたちをくずし、またすぐにもとにもどった。

「これは、みずうみじゃないか？」

「みずうみ？　これは？」

「ほら、空がうつってるんだ」

「空が？　ほら？」

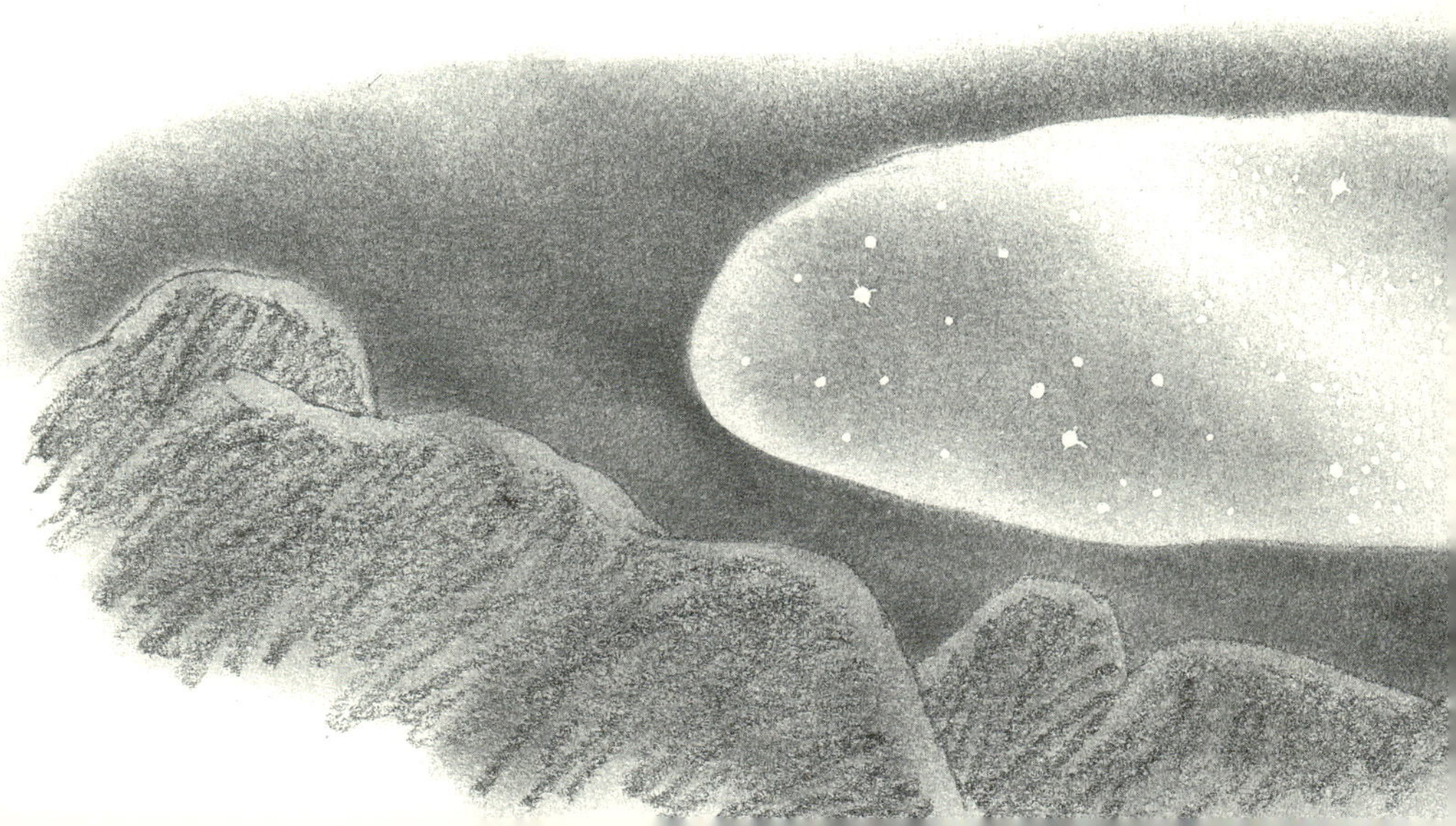

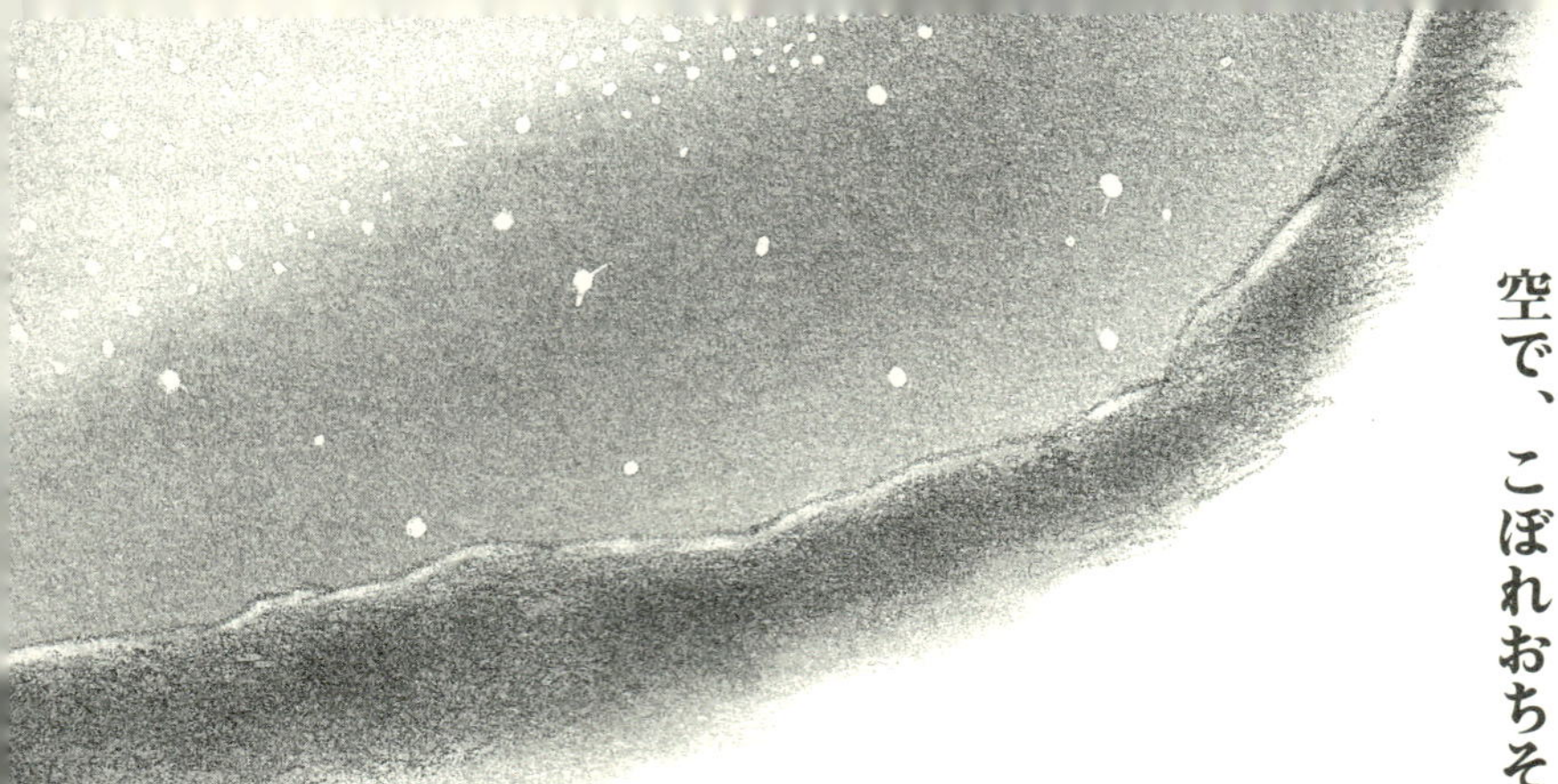

見あげると、てっぺんのみねにまるくきりとられた空《そら》が、わしたちの上にうかんでいた。頭《あたま》の上のまるい空で、こぼれおちそうになって光《ひか》っている大きな星《ほし》が、

湖《みずうみ》のまるい空でゆれていた。

ホホォ、ホホォ

ゴロスケ、ホホォ

しずけさの中にフクロウの声《こえ》がひびいた。トガリ山の森できいたあの声だ。体《からだ》のおくにしみこんでくる、ふしぎな声。

すると、とつぜん北《きた》のみねにいなずまが走《はし》った。いっしゅん、頭の上のまるい空が青白《あおじろ》い光《ひかり》をはなち、湖のまるい空が、ヤミの中にうかびあがった。

「カミナリ、ゴロスケ？」

テントがつぶやくと、

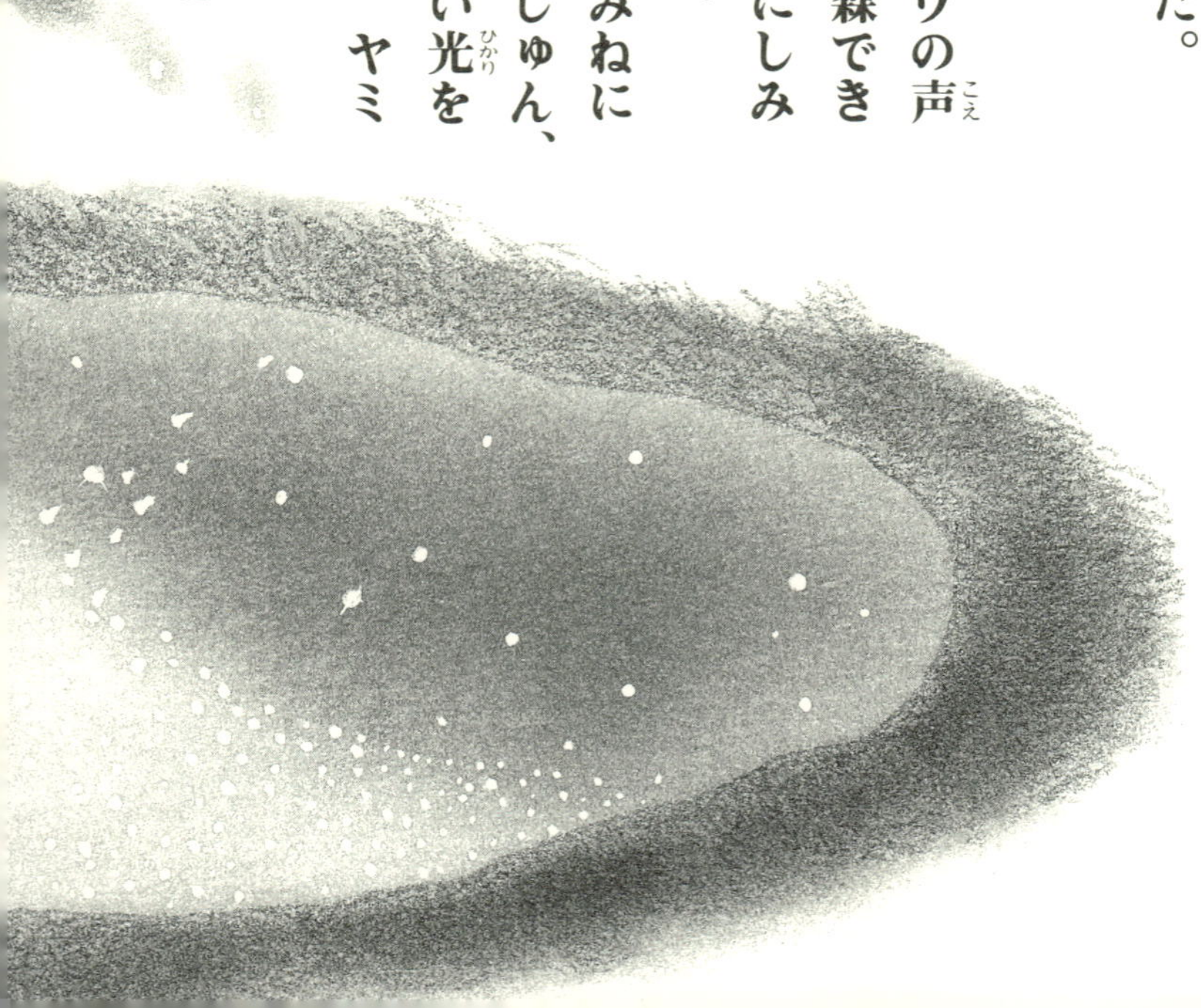

ホホォ、ホホォ
ゴロスケ、ホホォ

また、遠《とお》くでフクロウが鳴《な》いてこんどは東《ひがし》のみねで、いなずまが走った。

「キノコたち！」

テントがさけんだ。見ると、湖《みずうみ》の上にたくさんの光るものがうかんで、東のみねにむかって、ゆっくりのぼっていく。トガリ山の森《もり》で見た、天《てん》にかえっていくキノコたちにそっくりだ。

トガリ山のてっぺんが、キノコたちがいっていた天なのだろうか。わしはふしぎな気《き》もちで、光るキノコたちをながめていた。

星空《ほしぞら》にのぼっていくキノコたちが、湖にうつり、まるで、湖の底《そこ》ふかくしずんでいくように見えた。

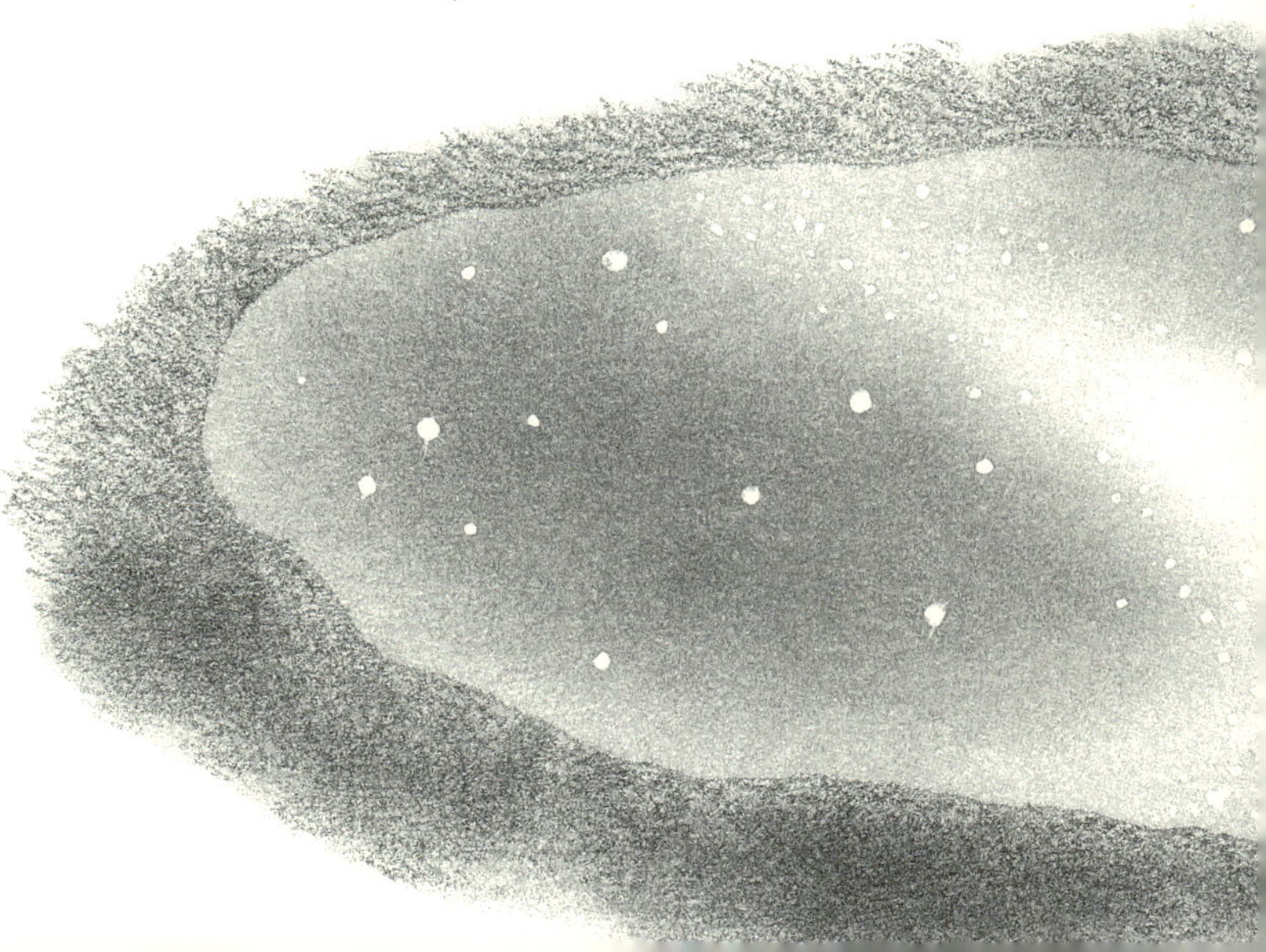

「てっぺんに、ついたぞ！」

クックが立ちあがって、両手《りょうて》をつきあげた。

「えっ、ほんとのてっぺんは、まだでしょ？」

セッセがトガリィじいさんを見た。

「てっぺんに、もうひとつの空があるなんて、なんだかすてき」

キッキが両手をにぎりしめた。

「てっぺんは空の上なんだから、てっぺんの湖《みずうみ》は空なんだ」

クックが両手をひろげて、体《からだ》をまわした。

「もうひとつの空って、湖に空がうつってるんだぜ」

セッセがいうと、

「でも、キノコたちは星空《ほしぞら》にのぼっていって、もうひとつのキノコたちは、湖《みずうみ》の底《そこ》にしずんでいった」

キッキが、かんがえかんがえいった。

「そうか、もうひとつの空は、湖の底にあるんだ」

クックがパンと手をあわせた。

「湖の底にあるってことは、もうひとつの空はトガリ山の中にあるってことになるぜ」

セッセがうんとむずかしい顔《かお》でいった。

「トガリ山の中の空……」

キッキが両手にあごをのせたまま、じっと遠《とお》くを見た。

4

天《あま》の川《がわ》のこう水《ずい》

　やがて、いなずまはおさまり、光《ひか》るキノコたちは星《ほし》空《ぞら》の中にとけこんで見えなくなった。あたりはしずまりかえっていた。

「おなかすいたな」

きゅうに、テントがなさけない声《こえ》をだした。

「そうだな」

わしも、さっきからそう思《おも》っているところだった。

「でも、テントは夜《よる》は飛《と》ばないんだろ。アブラムシをさがすのはむりだよな」

「うーん」

テントは、星《ほし》をうかべたまるい湖《みずうみ》のまわりを見まわした。

「そうだ、ほしミミズをいっしょに食《た》べないか」

わしはリュックをおろして、ほしミミズをとりだした。

「ほら、食べようぜ、いっしょに」

「うーん」

テントはわしの肩《かた》の上で考《かんが》えこんだ。

「テント、ほしミミズ食《た》べたことないだろ。うまいぜ、ためしてみなよ」

わしが、ほしミミズを石の上において、かじりはじめると、テントは、はんたいがわにきて、ちょっとにおいをかいでから食べはじめた。

テントはよほどおなかがすいていたのか、しばらくほしミミズに食《く》いついてはなれなかった。

ほしミミズを食べおわると、のこりをリュックにしまって、わしは石の上にねころがった。

「あれが天《あま》の川《がわ》だね」

まるくきりとられた夜空《よぞら》のまん中に、ぎっしりと星《ほし》でうまったところがある。それは、北《きた》のみねから南《みなみ》のみねにむかって、おびになってかがやいていた。

「天《あま》の川《がわ》は、天《てん》の川だ」

テントも、わしの顔《かお》のよこにきて、空《そら》を見あげた。

わしは天の川を見ながら、いつのまにかうとうとと

ねむった。波《なみ》にゆられているみたいで、いい気《き》もちだった。

「あっ、流《なが》れ星《ぼし》！」

テントの声《こえ》で目をさました。流れ星は見えなかったけれど、天《あま》の川《がわ》はまるで水《みず》かさがましたみたいに、川はばを広《ひろ》げてかがやいていた。

「また、流れ星！」

こんどはすぐにわかった。天の川の流れの中から、大きな流れ星がひとつ、トガリ山の東《ひがし》のみねにむかって、長《なが》い線《せん》をひいた。

すると、それをあいずにするかのように、つぎつぎに流れ星が飛《と》びはじめた。

南《みなみ》のみねにむかって、つづけてふたつ流れたと思《おも》うと、東のみねにむかって三つ、西《にし》のみねと北《きた》のみねにむかってどうじにふたつ、まるい空《そら》いっぱいに飛びかった。

そして、流れ星のひとつが、てっぺんの湖《みずうみ》にむかっ

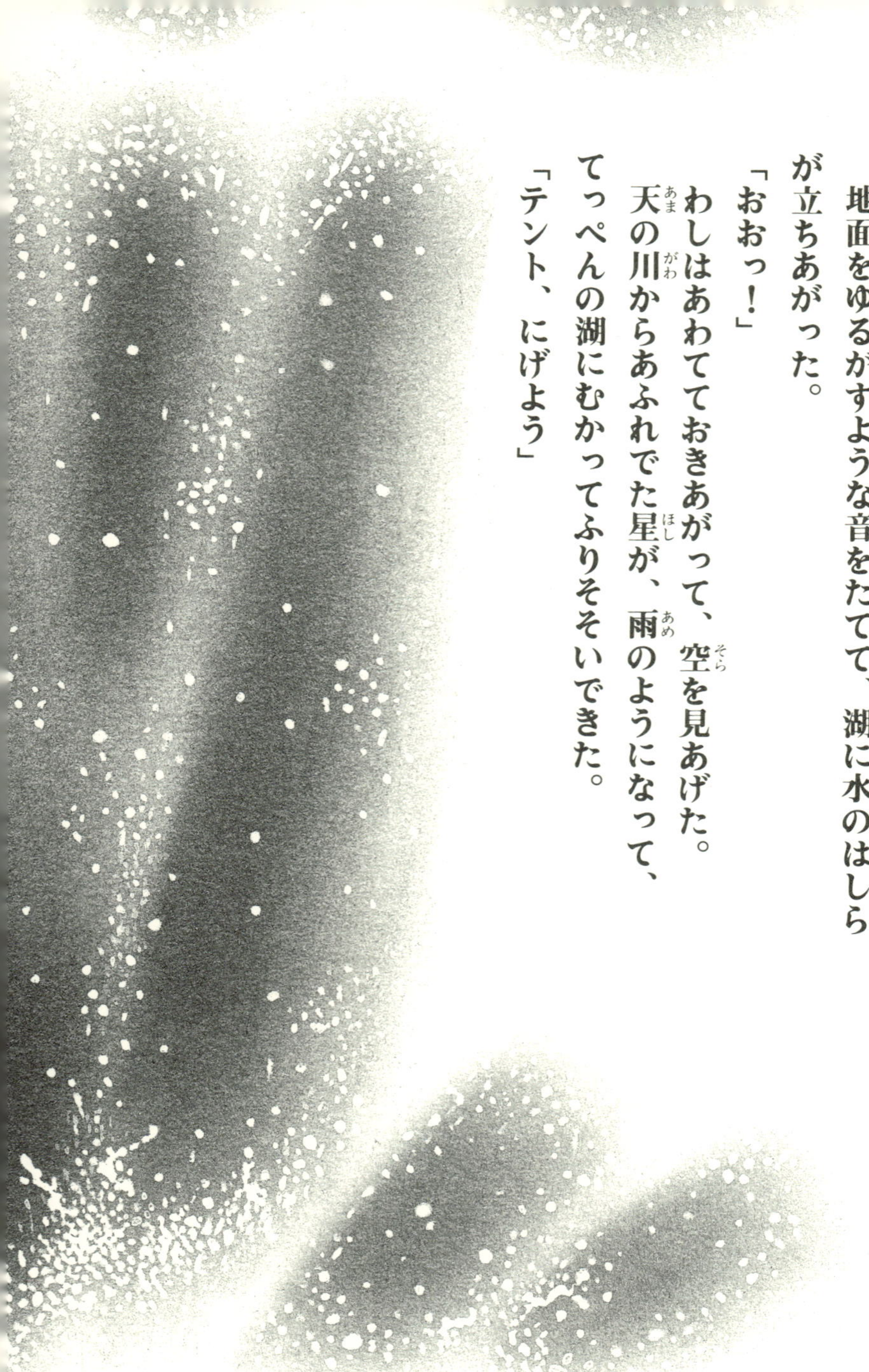

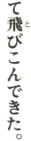

て飛《と》びこんできた。

ドドォーン

地面《じめん》をゆるがすような音《おと》をたてて、湖《みずうみ》に水《みず》のはしらが立ちあがった。

「おおっ！」

わしはあわてておきあがって、空《そら》を見あげた。

天《あま》の川《がわ》からあふれでた星《ほし》が、雨《あめ》のようになって、てっぺんの湖にむかってふりそそいできた。

「テント、にげよう」

テントはあわてて、わしの肩《かた》の上にかけあがってきた。わしは夢中《むちゅう》で、てっぺんのみねにむかってかけだした。

ドドドォーン

ドドドォーン

つぎつぎに、流《なが》れ星《ぼし》が湖《みずうみ》に飛《と》びこむ音《おと》がした。わしは石につまずいて地面《じめん》に両手《りょうて》をついた。肩《かた》ごしにうしろをふりかえると、湖からあふれた水《みず》が、ギラギラと光《ひか》りながら、こっちにむかってうちあげてくるのが見えた。

「にげろ。トガリィ！」
テントがわしの肩《かた》にしがみついてさけんだ。
ドドォーン　ドドォーン
ドドォーン　ドドォーン
はらわたをゆさぶるような波《なみ》の音《おと》が、うしろからせまってきた。
「わぁ！」
テントの声《こえ》で上を見ると、大きな波が口をあけて、いま、わしたちの上におおいかぶさってくるところだった。

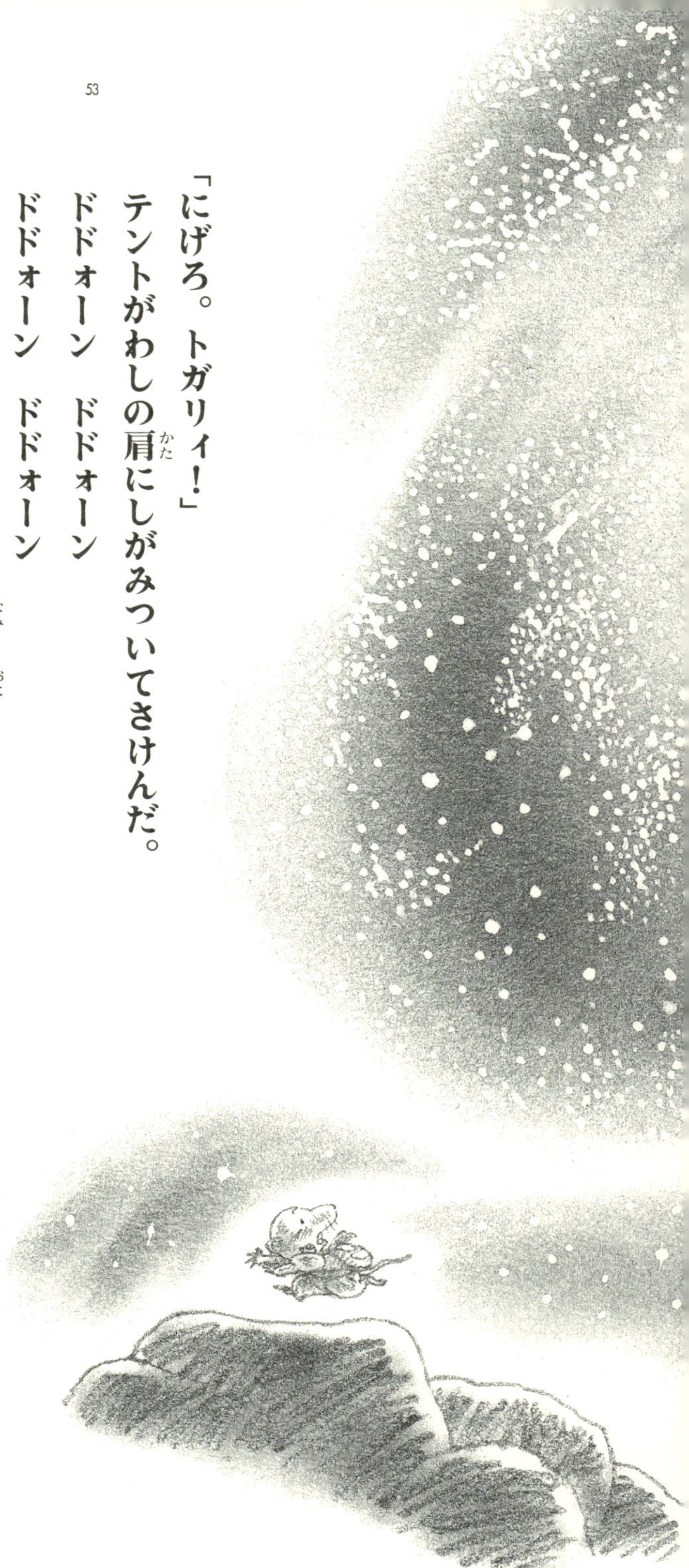

波《なみ》が、わしの体《からだ》をうしろからはげしくつきとばし、すぐにまるのみにして、つっぱしった。ゴォーと耳《みみ》が鳴《な》り、体がぐるぐるとまわった。もう、なにがなんだかわからない。

「テントォーッ」

大声《おおごえ》でさけんだが、声は自分《じぶん》にもきこえない。

波は、わしをもみくちゃにして走《はし》りつづけた。

ドドドド　ドドォーン

波はいちだんと大きな音をとどろかせ、はげしくくだけちった。わしの体は空中《くうちゅう》にほうりだされた。

くだけた波は空《そら》いっぱいに飛《と》びちり、星《ほし》たちといっしょになって、キラキラとかがやいた。わしの体は、星たちの中にうかんでゆっくりとまわった。

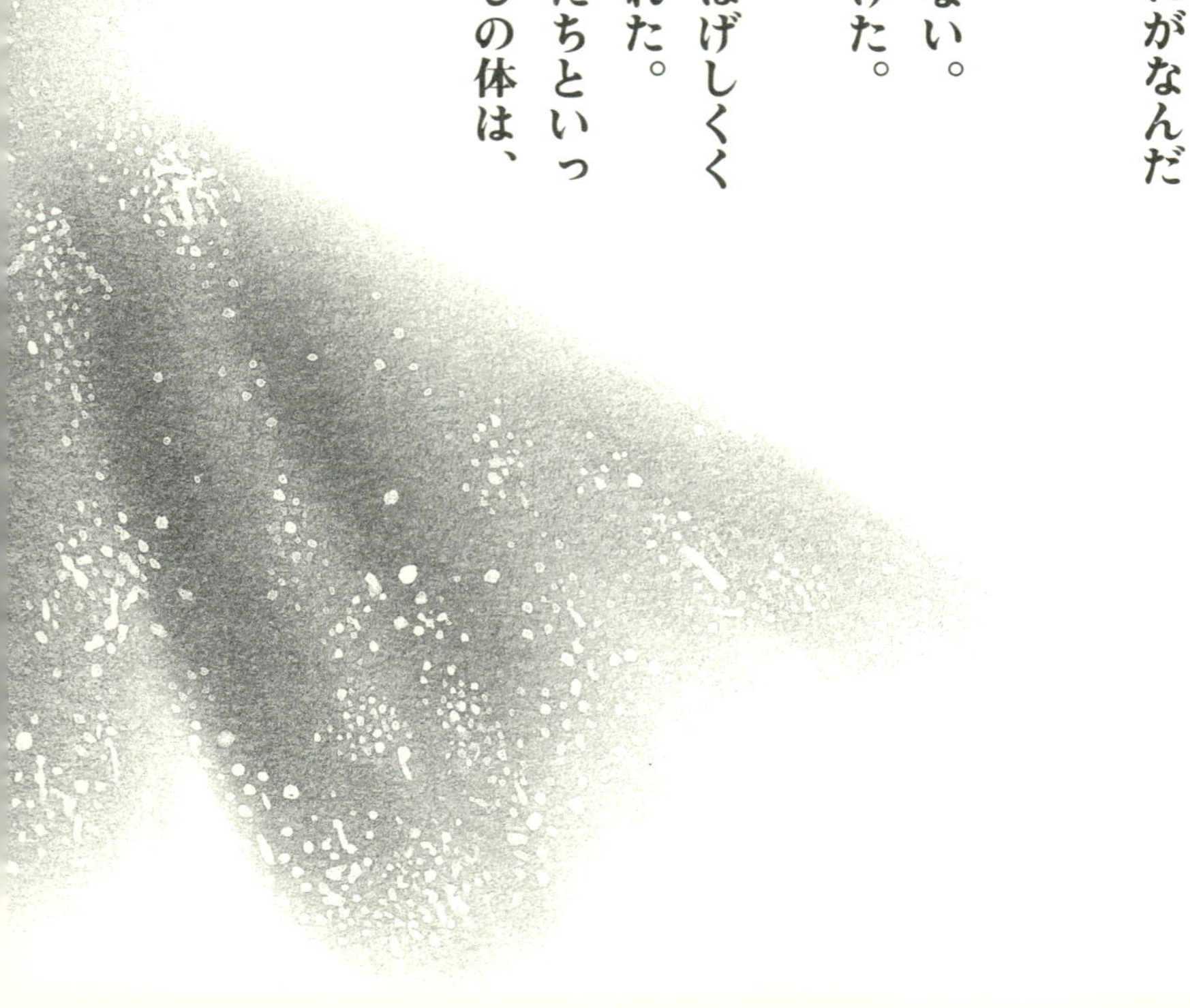

5

天《あま》の川《がわ》の子ギツネ

夜空《よぞら》にとどろく波《なみ》の音《おと》は、だんだん遠《とお》ざかり、やがてしずかになった。わしはおちつきをとりもどし、水《みず》の中をおよぐように手足《てあし》を動《うご》かしながら、あたりを見まわした。

たくさんの星《ほし》が、大きな川のようになって、ゆっくりと動いていた。わしは、星の中にうかんでいた。これが、さっきまでわしたちが見あげていた、あの天《あま》の川《がわ》なのだろうか。

ところでテントはぶじだろうか。肩《かた》の上にはすがたが見えない。

「テント……」

声《こえ》をかけると、

「トガリイ……」

頭《あたま》の上から、すぐにへんじがかえってきた。テントは、わしの頭の毛《け》にしがみついていたらしい。

「テント、ここは天《あま》の川《がわ》かもしれないぞ」

「天の川？　ここは」

テントはびっくりしたようにいって、

「あそこに、なにか、うかんでる」

と声《こえ》をひそめた。星《ほし》の流《なが》れの中に、ほそ長《なが》いぼうのようなものが、うかんでいるのが見えた。

「ありがたい、あれにつかまろう」

わしは、ほそ長いぼうにむかって、星の流れの中をおよいでいった。

近《ちか》づいてみると、それは、先《さき》の方《ほう》には三角《さんかく》のするどくとがったものがつき、うしろには白《しろ》い鳥《とり》の羽《はね》がついていた。ぼうは金《きん》いろにかがやき、ところどころで、星がまぶしく光《ひか》っていた。

それは、あとでわかったのだが、ニンゲンがつかう、弓《ゆみ》の矢《や》というものらしかった。

わしは金いろの矢におよぎつくと、ぼうにしがみついた。

「トガリィ、だいじょうぶ？」

テントがしんぱいそうにいった。

わしは息《いき》をはずませ、だまってうなずいた。波《なみ》にもまれ、星《ほし》の流《なが》れをおよぎ、もうかなりつかれていたのだ。

わしは、金《きん》いろの矢《や》の上によじのぼってだきつくと、そのまま目をつむった。

「月《つき》がしずんでいる」

テントの声《こえ》で目をさました。

「ほら、あそこに、月」

テントがわしの肩《かた》にのぼってきて、ゆびさした。たしかに、星《ほし》の流《なが》れの底《そこ》に、金《きん》いろにかがやくまるい月がしずんでいた。

「お月さん、これからのぼってくるんだよ」

「のぼってくるんだ、これから」

こんなに上から、お月さんを見おろすのは、はじめてのことだった。わしとテントは、星の流れの底から、ゆっくりとうかびあがってくる金いろの月に見とれた。

「やっぱり、ここは天《あま》の川《がわ》だ」

「天《あま》の川《がわ》だ、やっぱり……」

「ぼくたち、天の川まで流《なが》されたんだ」

「流されたんだ、天の川まで……」

わしは、ひろびろとした星《ほし》の流《なが》れを見まわした。

「天の川のこう水《ずい》が、てっぺんの湖《みずうみ》にふりそそぎ、あふれた水がぼくたちをおそい、天の川へおし流《なが》したんだ」

「おし流したんだ……」

「ほんとに、トガリ山のてっぺんは、天《てん》につきささっているんだね」

「……」

「トガリ山のてっぺんはどこだ」

「……」

「てっぺんの湖《みずうみ》はどこだ」

「……」

わしは、天《あま》の川《がわ》の川ぞこや、岸《きし》のむこうをさがした。

だが、たくさんの星がうかぶ広《ひろ》い宇宙《うちゅう》は、底《そこ》なしの湖《みずうみ》のように、どこまでもふかいヤミがつづいていた。

肩《かた》の上を見ると、テントが、こっくりこっくりいねむりをはじめていた。

テントは、わしがねむっているあいだ、ずっとがんばっておきていてくれたのだろう。

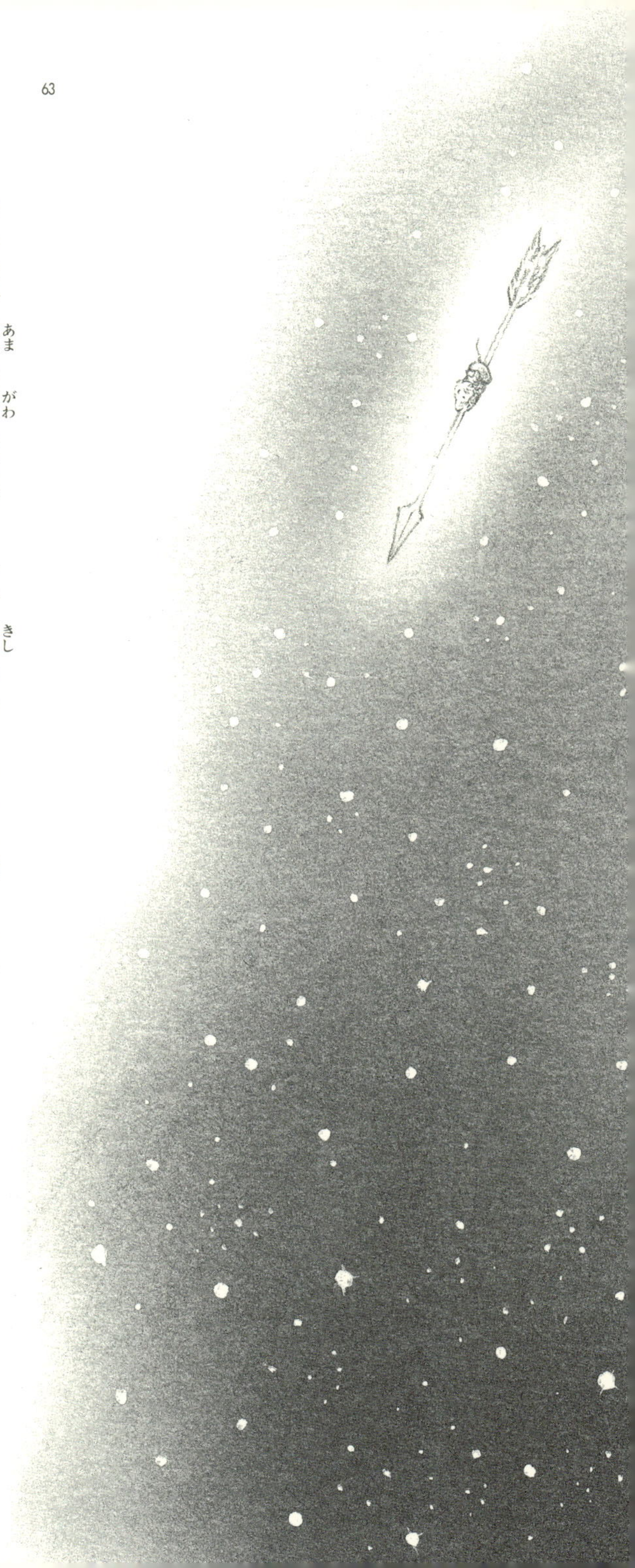

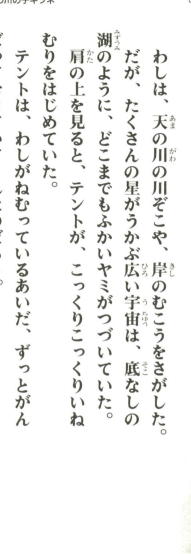

「テント、そこでふねこいでないで、リュックのポケットにはいってねむりなよ」

わしがそっと手《て》をそえると、

「ふねなんか、こいでない」

テントは、両手《りょうて》でしょっ角《かく》をこすった。

「こっくり、こっくりするのを、ふねをこぐっていうんだよ」

わしが、頭《あたま》をこっくりさせると、テントは、

「くりっこ、くりっこ、なんかしてない……」

といって、大きなあくびをした。

「天《あま》の川《がわ》でふねをこぐなら、ここがいいよ」

わしがひざのあいだにくるようにいうと、こんどは、テントは肩《かた》の上からおとなしくおりてきた。

まるい金《きん》いろの月が、天の川の東《ひがし》の岸《きし》にのぼった。

天の川に金いろのさざなみがいくえにもかさなった。

ねむっているテントの顔《かお》も、しょっ角も、金いろにそまった。

広《ひろ》い天《あま》の川《がわ》の流《なが》れの中に、星《ほし》のかずが少《すく》なく、くらく見える場所《ばしょ》がある。川の中にうかぶ島《しま》なのだろう。その島の岸《きし》のあたりで、いくつかの星がどうじに動《うご》いたような気《き》がした。

「なにか動いた……」

わしはひとりつぶやいた。

体《からだ》を半分《はんぶん》ひねったまま、目をこらしていると、また、五、六こほどの星が、どうじに左へすこしだけ動いた。あまり明《あか》るい星ではないので、よく見ていないとわからない。

すると、動く星とかさなってふうっと、動物《どうぶつ》のすがたがうかびあがった。

「キツネだ！」

わしは思《おも》わず、大きな声《こえ》をだした。

「ネだ？　なんだ？」

テントがねむそうにいった。

キツネは口に大きな鳥《とり》をくわえ、

右前足《みぎまえあし》をあげ、歩《ある》きかけたかっこうで立ちどまっている。ほそい体《からだ》、とがった口、長《なが》いしっぽ、だが、どことなく子どもっぽい。まだ子ギツネかもしれない。えものをつかまえて、すあなにはこぶとちゅうなのだろう。大きな鳥は首《くび》をくわえられ、ぐったりとしている。

子ギツネを見ていると、わしたちののった金《きん》いろの矢《や》が、ゆっくりとまわりはじめた。天《あま》の川《がわ》の流《なが》れのうずにまきこまれたらしい。うずは、天の川のまん中で、東《ひがし》から北《きた》へ、北から西《にし》へと、大きな円《えん》をえがいてまわっていた。

南《みなみ》から東へまわり、いったん子ギツネのいる島《しま》の岸《きし》から遠《とお》ざかった金いろの矢が、北へとむきをかえ、川のまん中にもどった。子ギツネは、じっと動《うご》きをとめたまま、わしたちのようすを見つめていた。

やがて金《きん》いろの矢《や》は、その先《さき》を西《にし》にむけ、子ギツネのいる島《しま》に近《ちか》づきはじめた。わしと子ギツネは、正面《しょうめん》からむきあった。

子ギツネはじっとしたまま、首《くび》としっぽをすこしずつさげ、ようじんぶかく身《み》がまえた。するどい目がみどりいろの光《ひかり》をはなち、銀《ぎん》いろの耳がピクリと動《うご》いた。

金いろの矢が、きゅうな流《なが》れにはいりこみ、上下にゆれながら、子ギツネのいる岸《きし》に、ぐんぐん近《ちか》づいていった。

「テント、おきてくれ、キツネだ」

わしは、まだねむっているテントの背中《せなか》を、ゆびさきでつついた。

「ツネだ、きてくれ？」

テントが目をこすりながら顔《かお》をあげた。

金いろの矢がいよいよ岸に近づき、子ギツネが流れにとびこめば、すぐにわしたちのところに、およぎつけそうなところまできた。

「キツネ！」
テントがやっと気《き》がついて大声《おおごえ》をだした。

子ギツネは、大きな鳥《とり》をくわえたまま、さげた首《くび》をピンとのばし、両前足《りょうまえあし》をふんばった。それから、また、首をゆっくりとさげ、体《からだ》をしずめた。みどりいろにかがやく目はするどさをまし、いまにもとびかかってきそうなようすだ。わしはテントの前で、両《りょう》手《て》でしっかりと金いろの矢につかまり、身《み》がまえた。

すると、金いろの矢がきゅうにむきを南《みなみ》にかえ、岸《きし》にそって流《なが》れはじめた。子ギツネは頭《あたま》をあげ、わしたちをおうように二、三歩《ぼ》動《うご》いたが、思《おも》いなおしたように立ちどまり、ゆっくりと首をかしげた。子ギツネはすこしずつ遠《とお》ざかっていった。

ほっとして、わしが子ギツネから目をはなしたときだ。

「キツネ、くる」

テントの声《こえ》でふりむくと、パタパタと羽《はね》の音《おと》がして、子ギツネがあばれる鳥《とり》をおさえつけているところだった。白い羽が飛《と》びちり、流《なが》れ星《ぼし》のように天《あま》の川《がわ》の流れの中にしずんでいった。

「キツネ、口から鳥をはなして、こっちへこようとした」

テントがいった。わしが子ギツネに背《せ》をむけたときも、テントはちゃんとうしろを見ていたらしい。

「あの鳥、まだ生きてた」

テントがいうように、子ギツネにくわえられていた大きな鳥は、ぐったりとしていたが、まだ息《いき》たえてはいなかったのだ。

金《きん》いろの矢《や》は、わしたちをのせて、波《なみ》にゆられながら、子ギツネのいる島《しま》からはなれていった。子ギツネ

はおとなしくなった鳥《とり》をくわえ、右前足《みぎまえあし》をあげたもとのすがたにもどって、じっとこっちを見つめていた。

「おじいちゃん、天《あま》の川《がわ》まで流《なが》されたの、すごい!」

キッキが立ちあがって、あたりを見まわした。

「天の川って、ほんとに川なの」

クックも立ちあがって、あたりを見まわした。

「天の川は、星《ほし》があつまって流れている川だぜ」

セッセも立ちあがって、両手《りょうて》を広《ひろ》げてうかんでみせた。

「てっぺんの湖《みずうみ》と、天の川はつながってるんだね」

キッキがトガリィじいさんを見た。

「ホシガラスもいってたぜ、天の川のこう水《ずい》が、トガリ山の谷《たに》にふりそ

そいだって、ねえ、おじいちゃん」

セッセもトガリィじいさんを見た。

するとクックが、

「てっぺんは天《てん》につきささっている」

といって、頭《あたま》の上に両手《りょうて》でてっぺんをつくった。

「天《あま》の川《がわ》に矢《や》がうかんでいて、よかったね」

キッキがいすにすわると、

「天の川までとどく矢をいるニンゲンって、でっかいニンゲンだろうな」

セッセがうでぐみをしながらすわりこんだ。

「それは、トガリ山みたいに大きなニンゲン」

クックがトガリ山みたいになった。

6

ワシにさらわれたわし

天《あま》の川《がわ》の島《しま》のくらやみの中に、子ギツネのすがたがきえて、なにげなく西《にし》の岸《きし》の空《そら》を見あげたときだ。まるでゆう日のような、大きな流《なが》れ星《ぼし》がとつぜんあらわれ、メラメラともえながら飛《と》んだ。

「ああーっ」

わしとテントは、思《おも》わず大声《おおごえ》をあげた。

流れ星は、天の川の上をゆっくりと流れ、東《ひがし》の岸の上で音《おと》をたてずにくだけちった。

「おおーっ」

わしとテントは大きくため息《いき》をついた。

くだけた流れ星は赤い火のこになって、天の川にふりそそぎ、川ぞこふかくしずんでいった。

そのまま川ぞこをのぞきこんでいると、また、いくつかの星《ほし》がどうじに動《うご》くのに気《き》がついた。

「あれは、なんだろう」

わしがゆびさすと、

「なんだ、あれ」

テントものぞきこんだ。

ひしがたの四つの星《ほし》と、すこしはなれたところにあるもう一つの星。明《あか》るい五つの星がいっしょになって、天《あま》の川《がわ》をゆっくりと動《うご》いていく。

五つの星のまわりから、小さな星があわのようにうかびあがってきたと思《おも》うと、ふしぎな生きもののすがたがあらわれた。

「さかなかな」

わしが金《きん》いろの矢《や》の上から身《み》をのりだしてのぞきこむと、

「さあ、かなかな？」

テントが首《くび》をかしげた。

だが、さかなにしてはへんだ。体《からだ》にうろこはなく、はだはすべすべとなめらかだ。目とあごと首のあたりに四つの星がかがやき、まるめたしっぽの先《さき》に、もう一つ明るい星が光《ひか》っている。口を大きくあけて、ときどきなにかさけんでいるようだが、声《こえ》はここまではき

こえてこない。

　ずっと見ていると、五つ星《ぼし》の生きものは、わしたちに気《き》がついたのか、こちらにむかってうかびあがってきた。近《ちか》づくにつれて五つの星《ほし》が明《あか》るさをました。

　生きものはわしたちの目の前《まえ》までうかびあがってくると、いきなりしっぽをはねあげ、金《きん》いろの矢《や》の下をくぐりぬけた。

「なんだ、あれ、あれ？」

「あれ、なんだ？」

　わしとテントは顔《かお》を見あわせた。

　五つ星の生きものは東《ひがし》の岸《きし》にむかってしばらくおよぐと、体《からだ》をひとまわりさせてこちらにむきなおった。

「また、こっちにくる」

「くる、こっちに」

　わしは両手《りょうて》で、金いろの矢にしっかりとつかまった。

　五つ星の生きものは、わしたちの目の前に顔をだし、プシーッと大きく息《いき》をはいた。あたりに、霧《きり》のような

小さな星《ほし》が飛《と》びちり、金《きん》いろの矢《や》が上下にゆれた。

「いるか、いるか」

五つ星《ぼし》のいきものがいったのかどうかはっきりしないが、川の中からふしぎな声《こえ》がきこえた。それは、耳もとを飛《と》ぶカの羽音《はおと》のような声だった。わしは五つ星の生きものの顔《かお》を見つめた。

わらっているみたいに目をほそめ、ときどき口を大きくあけては、なにかいってるみたいだ。

「なんていってる？」

わしとテントは耳をすました。

「いるか、いるか、だれか、いるか？」

テントがつぶやいてわしの顔《かお》を見あげた。

「いるか、いるか、だれか、いるか？」

わしが川の中にむかって声《こえ》をかけると、五つ星《ぼし》の生きものは、いきおいよくうかびあがり、ピンとしっぽをはねあげると、また、金《きん》いろの矢《や》の下をくぐりぬけた。

「いるか、いるか、だれか、いるか」

テントもおもしろがって声をかけた。

五つ星の生きものは、なんどもうれしそうにうかびあがってきては、プシューッと、霧《きり》のような星《ほし》の息《いき》をはいた。

五つ星《ぼし》の生きものが、川ぞこふかくもぐってすがたをけすと、

「いるか、あれ？」

「あれ、いるか？」

わしとテントは顔《かお》を見あわせてわらった。と、そのときだ。ヒュッ、ヒュッとするどい音《おと》がして、頭《あたま》の上で風《かぜ》がうずまいた。見あげると、なにか黒《くろ》いものが、わしたちの上におおいかぶさってくるところだった。わしはテントをむねの中にだきこんで、金《きん》いろの矢《や》に顔をおしつけてしがみついた。すると、わしの体《からだ》は、金いろの矢ごと、天《あま》の川《がわ》の上にうきあがった。

「トガリィ、どうした？」

むねの下でテントがいった。

「だれかが、リュックをつかんで、金いろの矢ごと、ぼくをつりあげたらしい」

首《くび》をひねって上を見るのだが、黒《くろ》いかげが空《そら》をおおっていることぐらいしかわからない。テントが肩《かた》のところから顔《かお》をだして、背中《せなか》の方《ほう》をのぞいた。

「テント、気《き》をつけろ」

ヒュッ、ヒュッという音《おと》が、ずっと上の方からきこえてくる。風《かぜ》がうしろへはしりさっていく。

「たいへん、トガリィ、さらわれた」

テントがおびえたようにいって、

「よく、見てくる」

と、背中のリュックへのぼっていった。

天《あま》の川《がわ》がわしたちの下に遠《とお》ざかり、大きな流《なが》れの両《りょう》岸《ぎし》が、どうじに見えるようになった。川の中の島《しま》のくらがりに、さっきの子ギツネが立って、こっちを見あげていた。

口にくわえた大きな鳥《とり》はぐったりしたままだ。

「おまえは、だれだ！」

背中《せなか》のずっと上の方で、テントの声《こえ》がした。

「わしだーっ」

テントの声よりもっと上の方で、ふとい声がひびいた。遠《とお》い宇宙《うちゅう》のはてからかえってきた、こだまのような声だ。

それきりしずかになったと思《おも》うと、テントがわしの肩《かた》にもどってきた。

「トガリィ、ワシにさらわれた」

テントが声をふるわせた。

「大きなワシ、空《そら》いっぱいの羽《はね》」

わしは体《からだ》をひねって背中《せなか》の上をのぞいた。たしかに大きなつめのようなものが、背中の上にあり、その上を、まっ黒《くろ》なものが、雲《くも》のようにおおっている。

夜空《よぞら》の大ワシが、金《きん》いろの矢《や》ごとわしたちをさらっていくところらしい。わしがワシにさらわれるとは、おどろいた。

「おーい、ワシ！」

わしは両手《りょうて》で金いろの矢にしがみついたまま、顔《かお》を思《おも》いきり上にむけると、大声《おおごえ》でさけんだ。

「なんで、ぼくたちをさらうんだぁーっ」

そのままのしせいで耳をすましたが、へんじはかえってこない。ヒュッ、ヒュッという音《おと》だけが、夜《よる》の空《くう》気《き》をきりさくように、うしろへはしりさっていく。

「どこへつれていくーっ」

わしの声《こえ》は、いくらさけんでも、広《ひろ》い宇宙《うちゅう》のヤミの中にすいこまれていくだけだ。

7

たすけてハクチョウ

わしたちの下を、天《あま》の川《がわ》がきらめきながら流《なが》れている。ワシは天の川の上を南《みなみ》にむかって飛《と》んでいく。

「いったいワシは、ぼくたちをどこへつれていくつもりなんだろう。どうしよう、テント」

テントはわしの肩《かた》の上から、夜空《よぞら》を見まわした。

「うしろに、大きな鳥《とり》」

テントが声《こえ》をひそめていった。わしは首《くび》をまわして、北《きた》の空《そら》に目をやった。たしかに、大きな白い鳥が、天の川の上を、こちらにむかって飛んでくるのが見えた。

「あれは、ハクチョウじゃないか」

わしは前《まえ》に、トガリ山の草原《そうげん》の池《いけ》に、ハクチョウがまいおりるのを見たことがあった。

あのときのハクチョウはやさしそうに見えた。もしかしたら、わしたちをたすけてくれるかもしれない。

「おーい、たすけてくれぇーっ」

「ハクチョウ、おーい」

わしとテントは、かわるがわる大声《おおごえ》でさけんだ。
ハクチョウは、天《あま》の川《がわ》いっぱいに大きな羽《はね》を広《ひろ》げ、ゆっくりとはばたきながら、ついてくる。ハクチョウの体《からだ》の中で、星《ほし》たちが十字《じ》のかたちをつくり、うつくしくかがやいていた。

「おねがーい、たすけてくれぇー」

「ハクチョウ、おねがーい」

どこまでもつづく広い宇宙《うちゅう》にうかぶ、ちっぽけなわしとテント。そんな小さな声《こえ》に気《き》づくものはだれもいない。たくさんの星たちが、まわりをとりかこんでいるのに、どの星も、だまってまたたいているだけだ。
わしとテントは、ハクチョウにたすけをもとめるのをあきらめて、ため息《いき》をついた。
すると、

「ウワッ、ハッ、ハッ、ハッ」

ずっと上の方《ほう》から、わらい声《ごえ》がひびいた。わらい声はこだまになって、夜空《よぞら》をかけまわった。小さな星た

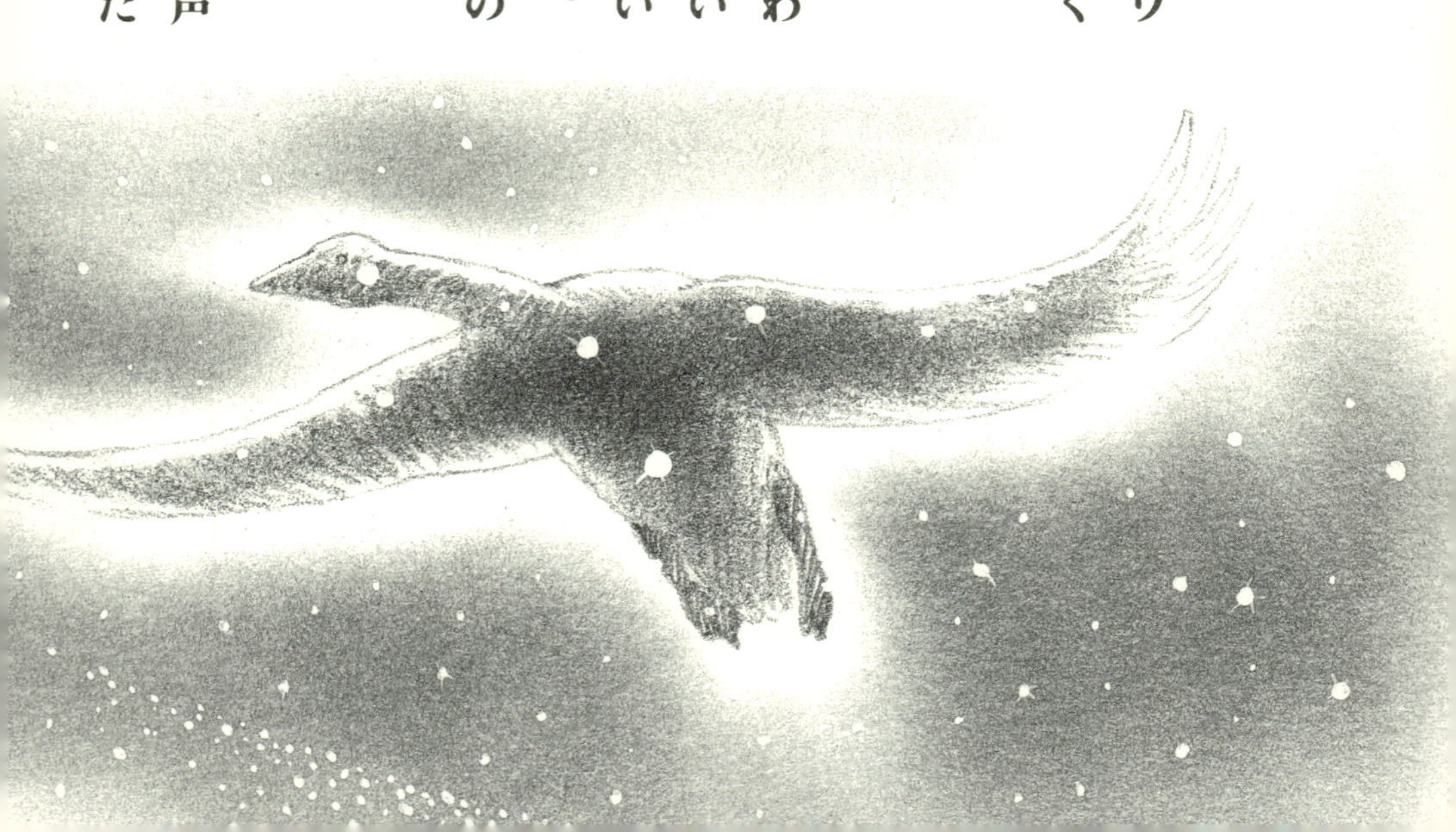

ちがおびえるようにふるえた。

「ハクチョウは、はくじょうなやつ。たすけちゃくれないぜ」

その声《こえ》は、あの、宇宙《うちゅう》のはてからかえってきた、こだまのような声。

「ウワッ、ハッ、ハッ、ハッ」

ワシはわざとらしくわらった。その声は、また夜空《よぞら》をかけまわった。

「ぼくたちを、どこへつれていくんだ！」

「いくんだ、どこへ！」

わしとテントはおこってさけんだ。

「宇宙のはてに、すててやる」

ワシがゆっくりといった。

「宇宙のはてにすてる？」

「はて、宇宙？」

「そうだ。宇宙のはての、星くずにしてやろう」

ワシの声は、すぐそこからきこえてくるようでもあ

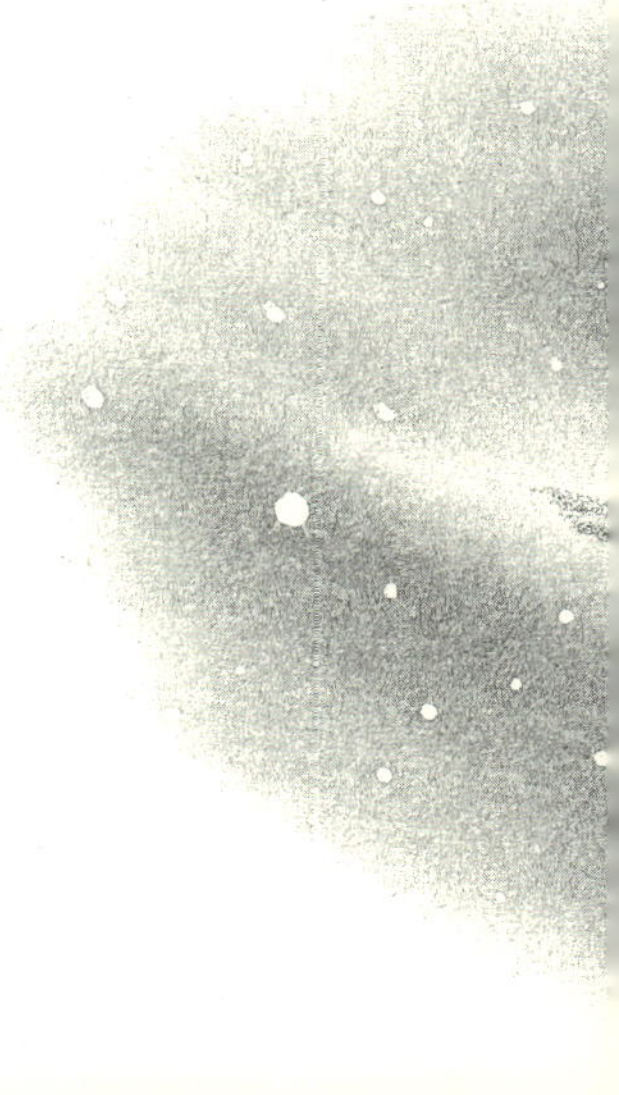

り、ずっと遠《とお》くからきこえてくるような気《き》もする。

「星《ほし》くずにしてやる、だって？」

「だって、星くず？」

「そうだ。ちっぽけなおまえたちは、宇宙《うちゅう》のはてにすてられる、小さな星くずになるのだ。ウワッ、ハッ、ハッ、ハッ」

ワシは大声《おおごえ》でわらうと、きゅうに声《こえ》のちょうしをかえて、

「金《きん》いろの矢《や》を、かってにもちさろうとする、ふとどきなやつ、宇宙のはての星くずになるなど、あたりまえのことだ」

と、おどすようにいった。

「金いろの矢を、かってにもちさる、だって？」

「だって、もちさる？」

わしとテントは、思《おも》わぬことをいわれて、おどろいた。

「おまえがもっている金《きん》いろの矢《や》は、何《なん》百年《びゃくねん》も前《まえ》から、おれのものなのだ。だまってぬすむとは、けしからんやつ」

「だまって、ぬすむ？」

「ぬすむ、だまって？」

ワシは、とんでもない思《おも》いちがいをしている。

「この金いろの矢は、ぬすんだものではない。天《あま》の川《がわ》にうかんでいたから、つかまっていただけだ」

「だけだ、つかまっていた」

「夜空《よぞら》にうかぶ星になるのも、いいものだぞ。ウワッ、ハッ、ハッ、ハッ」

わしとテントがいくらさけんでも、ワシはとりあわない。

「ぼくは、トガリ山のふもとで、一人前《いちにんまえ》のトガリネズミとして生きるために、トガリ山のてっぺんにのぼってきたんだ。星《ほし》になんかなりたくない」

「なりたくない、星になんか」

テントは、ワシにむかってうでをつきあげた。

「よくのないやつらめ、たとえ小さくても、星になるのはめいいよなことだぞ。ウワッ、ハッ、ハッ、ハッ」

めいいよなことってなんだろう。わしとテントは顔《かお》を見あわせた。たとえそれがめいいよというものであっても、わしはトガリ山のふもとにおりてくらしたいと思《おも》った。

「テント、どうしよう」

「どうしよう、トガリィ」

ワシからにげだすほうほうは、ないものだろうか。

わしとテントは夜空《よぞら》を見まわした。

すると、ハクチョウが飛《と》んでいる東《ひがし》がわの空から、ふしぎな音《おと》がひびいてきた。

カパパッ、カパパッ、カパパッ
星と星のあいだをぬって、音はかけのぼってきた。

天《あま》の川《がわ》の東《ひがし》の岸《きし》の上に、大きなウマのすがたがうかびあがった。ウマは背中《せなか》に白いつばさをつけ、首《くび》をふりながら、こちらにむかって走《はし》ってくる。前足《まえあし》が夜空《よぞら》をけるたびに、星《ほし》が小《こ》じゃりのように飛《と》びちった。天馬《てんば》だ。

「おーい、たすけてくれえーッ、天馬《てんば》」

「天馬、おーい」

わしとテントは大声《おおごえ》でさけんだ。だが天馬は、こちらにふりむきもせず、夜空を走りつづけた。なぜか、天馬の体《からだ》のうしろ半分《はんぶん》は、ヤミにとけこんだまま、すがたを見せない。

天馬は天の川の上を走りぬけると、夜空にすいこまれるようにきえた。ひずめの音《おと》だけが、しばらくのこって、星のあいだをかけめぐり、やがて遠《とお》ざかった。

天馬の走りさった空の上に、銀《ぎん》いろのまるい月が、しずかにうかんでいた。

8

山ネコのおんがえし

とつぜん、天《あま》の川《がわ》の西《にし》の岸《きし》のあたりで、星《ほし》が飛《と》びちり、大きなミミズがはねあがってきた。

「おっ、ミミズ！」

わしがびっくりしてさけぶと、飛んでいくワシの前《まえ》をさえぎるようにして、とてつもなく大きなはだかのニンゲンが、すがたをあらわした。ニンゲンはこちらに背中《せなか》をむけ、大きなヘビを両手《りょうて》でつかんで、よこ目《め》でワシをにらみつけた。ミミズと思《おも》ったのは、大きなヘビのしっぽの先《さき》だった。

「おーい、たすけてくれぇーっ、ニンゲン」

「くれぇーっ、たすけて」

大きくてつよそうなニンゲンだから、きっとたすけてくれるのではないかと、わしは思《おも》った。ニンゲンは、わしたちの声《こえ》がきこえたのか、ギロリと目玉《めだま》を動《うご》かした。ヘビが体《からだ》をくねらせ、大きく口をあけた。とがった矢《や》のようなしたがふるえ、青白《あおじろ》いほのおがもえあがった。金《きん》いろの目玉《めだま》があやしい光《ひかり》をはなった。

「じゃまなヘビつかいめ、そこをどけ！」

ワシがらんぼうにどなる声《こえ》がひびいた。

ニンゲンはおこったように顔《かお》をゆがめると、こちらにむきなおった。ニンゲンは両手《りょうて》でもったヘビを、高《たか》だかと頭《あたま》の上にかざした。するとヘビは、かま首《くび》をもちあげ、体《からだ》をくねらせて、ワシにおそいかかってきた。

ジャーッ
おこったヘビのはきだす声《こえ》が、北《きた》の空《そら》にむかって、いっちょくせんにはしった。

「そこをどけ！」

ワシもまけずに大声《おおごえ》でどなった。

そのとき、ニンゲンの足《あし》もとで、いくつもの星《ほし》がうごめいたと思《おも》うと、ニンゲンとヘビのすがたをかきけして、大きな生きものがあらわれた。

サソリだ。

シャッ、シャッ、シャッ
ぶきみな音《おと》が、わしたちのまわりをかけめぐった。

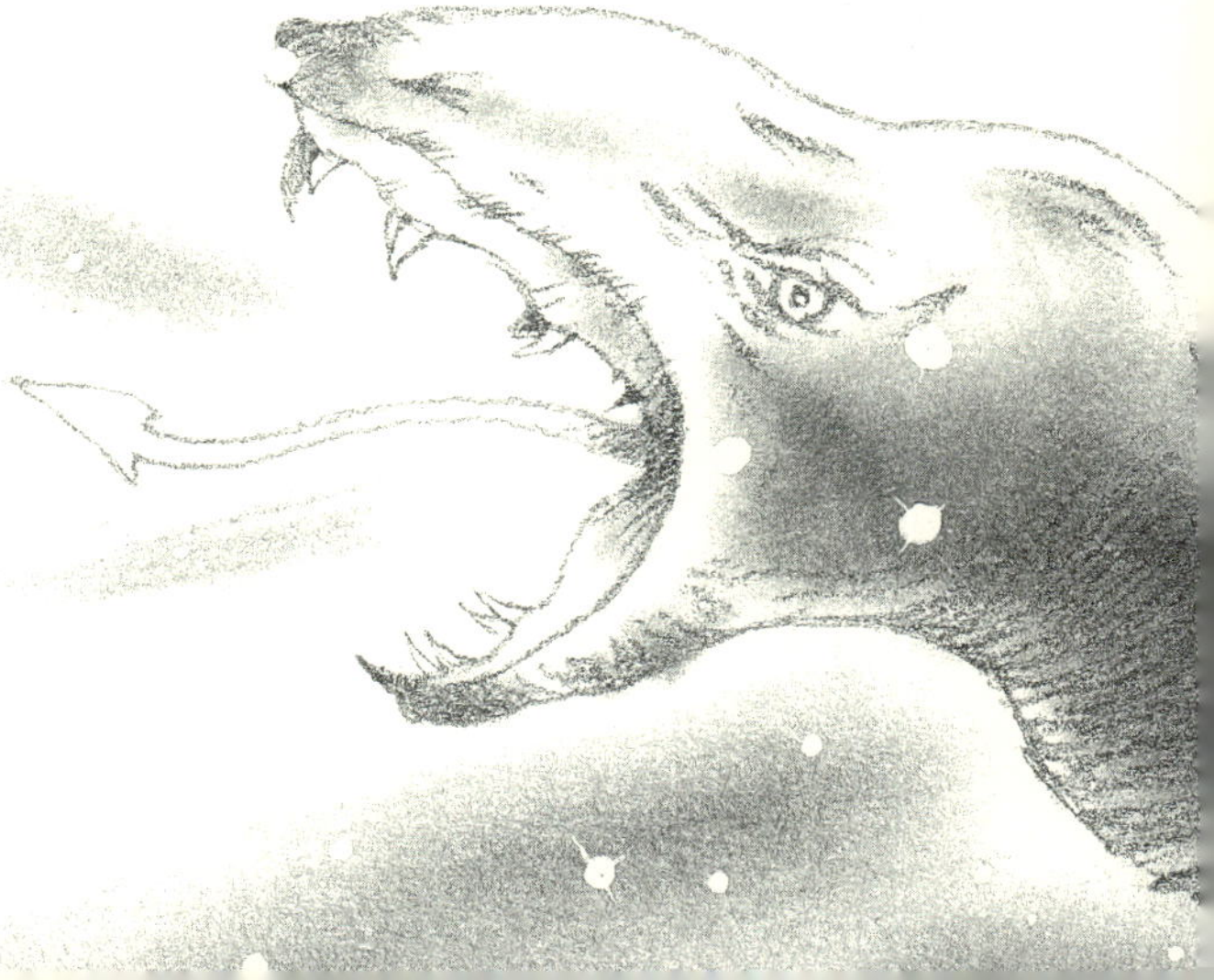

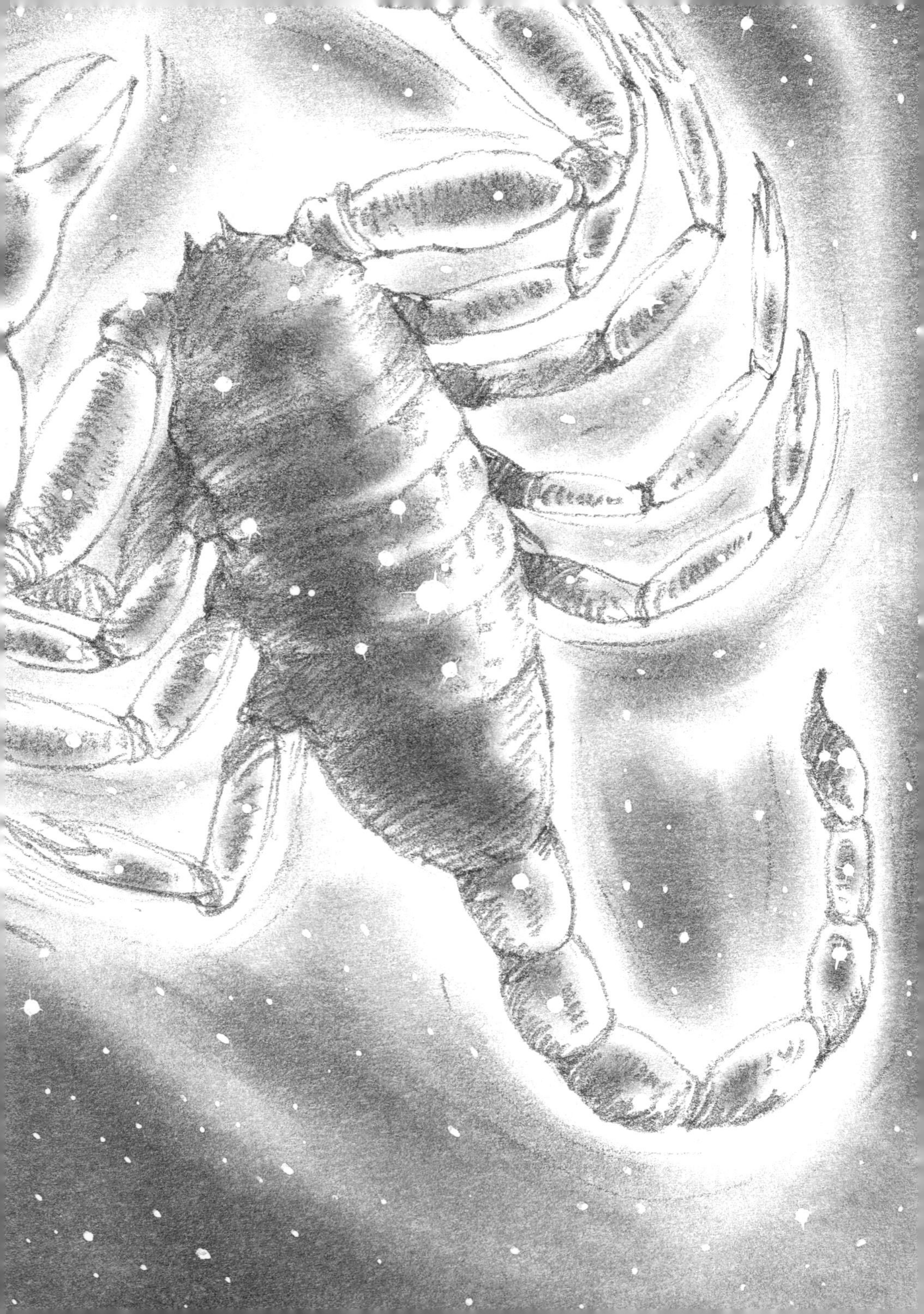

「どけ！　サソリめ」

ワシの声《こえ》が、カミナリのようにおちてきた。わしは金《きん》いろの矢《や》にしがみついた。

サソリは二本《ほん》のハサミを大きくひらき、空《そら》にむかってつきあげると、体《からだ》をふるわせた。サソリのむねの赤《あか》いしんぞうが、もえるようにかがやき、ドクドクと音《おと》をたてた。

サソリのむねのうしろで、するどくとがったしっぽのドクバリが、ワシをねらっているのが見えた。

「うーむ、サソリめ」

ワシはうなり声《ごえ》をあげると、高《たか》くまいあがり、むきを北《きた》にかえた。

シャッ、シャッ、シャッ

ぶきみな音が、南《みなみ》の空いっぱいにひろがって、わしたちのうしろからおそいかかってきた。

すると、

カパパッ、カパパッ、カパパッ

また、ウマのひずめの音《おと》が、天《てん》をかけてきた。ふりむいて南《みなみ》の空《そら》を見ると、それは、さっきの天馬《てんば》ではなく、体半分《からだはんぶん》ニンゲンのすがたをした馬人《ばじん》が、走《はし》ってくるところだった。

馬人《ばじん》は弓《ゆみ》をしぼり、サソリをねらっていた。サソリはあわてててハサミをしまうと、ドクバリをふるわせながら、こそこそとにげだした。

サソリは、天《あま》の川《がわ》が流《なが》れおちる南の空のおくににげこんで、すがたをけした。

「馬人《ばじん》のおかげで、またたすかったぞ、ウワッ、ハッ、ハッ、ハッ」

ワシが北《きた》にむかってゆっくりはばたきながら、大声《おおごえ》でわらった。馬人《ばじん》は、しぼった弓をおろし、こちらに顔《かお》をむけた。

「おっと、いけねぇ。あの矢《や》をこちらにむけられちゃ、たまらねぇ」

ワシは、右に左に体をかたむけて飛《と》ぶむきをかえ、

にげだした。

「たすけてくれぇーっ、馬人《ばじん》」

「くれぇーっ、たすけて」

わしたちがさけんだときには、馬人のすがたはきえさって、南《みなみ》の空《そら》に、遠《とお》ざかるひずめの音《おと》が、かすかにきこえただけだった。

夜《よる》の空はしずまりかえった。天《あま》の川《がわ》の西《にし》の岸《きし》から、ふしぎなおんがくがきこえてきた。

ポロン、ポロンというその音につられ、いくつかの小さな星《ほし》が、天の川の上をはずんでわたっていった。

「こん夜《や》のコトのねいろは、ことのほかうつくしい」

ワシが、これまでとはまるでちがう声《こえ》のちょうしで、うっとりといった。

「コトのねいろ？」

「ねいろのコト？」

わしとテントは、はじめてきくコトのねに耳をすました。夜空《よぞら》から、またいくつかの小さな星がこぼれお

ちて、ポロン、ポロンと天《あま》の川《がわ》の上をはずんだ。
コトのねにききほれていると、とつぜん、北の空に
大きなクマが立ちあがった。

オオクマのうしろを、流れ星《ながぼし》が一ついきおいよく飛《と》んで、コトのねがやんだ。

「オオクマめ、なんのようだ」

ワシが大声《おおごえ》でどなった。

オオクマは、だまったまま大きく口をあけた。口の中は赤くもえ、あつい息《いき》がふきだしてきた。オオクマはふとい二本《ほん》のうでを大きく広《ひろ》げ、ワシの前《まえ》に立ちはだかった。むねのあたりから、いくつもの星《ほし》が、ほとばしるあせのように飛《と》びちった。

「金《きん》いろの矢《や》をどこへもっていく」

オオクマが、ひくくうなるような声《こえ》でいった。

「どこにもっていこうが、オレのかって。この金いろの矢は、何百年《なんびゃくねん》も前からオレのものだったのだ」

ワシは大声でいいかえした。

「この宇宙《うちゅう》にうかぶものは、この宇宙のすべてのもの。おまえひとりのものなど、なにもない」

「なにをわかったようなことを、オオクマめ」

ワシがかまわず、オオクマの上を飛《と》びさろうとすると、オオクマは両《りょう》うでを高くふりあげた。わしとテントの目の前《まえ》で、オオクマの大きなするどいつめが、うなり声《ごえ》をあげて空《くう》をきった。

そのときだ。

「にげろトガリィ、にげろテント」

オオクマの足もとから、

ききおぼえのある声がした。

「いま、このとき、

おんをかえさずして

なにが、ほこり高《たか》き山ネコ。

夜空《よぞら》にうかびしわれなれど、

わすれちゃならねえ、

ひとのおん、ネコのおん。

おんをかえすは、

ほこり高き山ネコのみち。

オーン！」

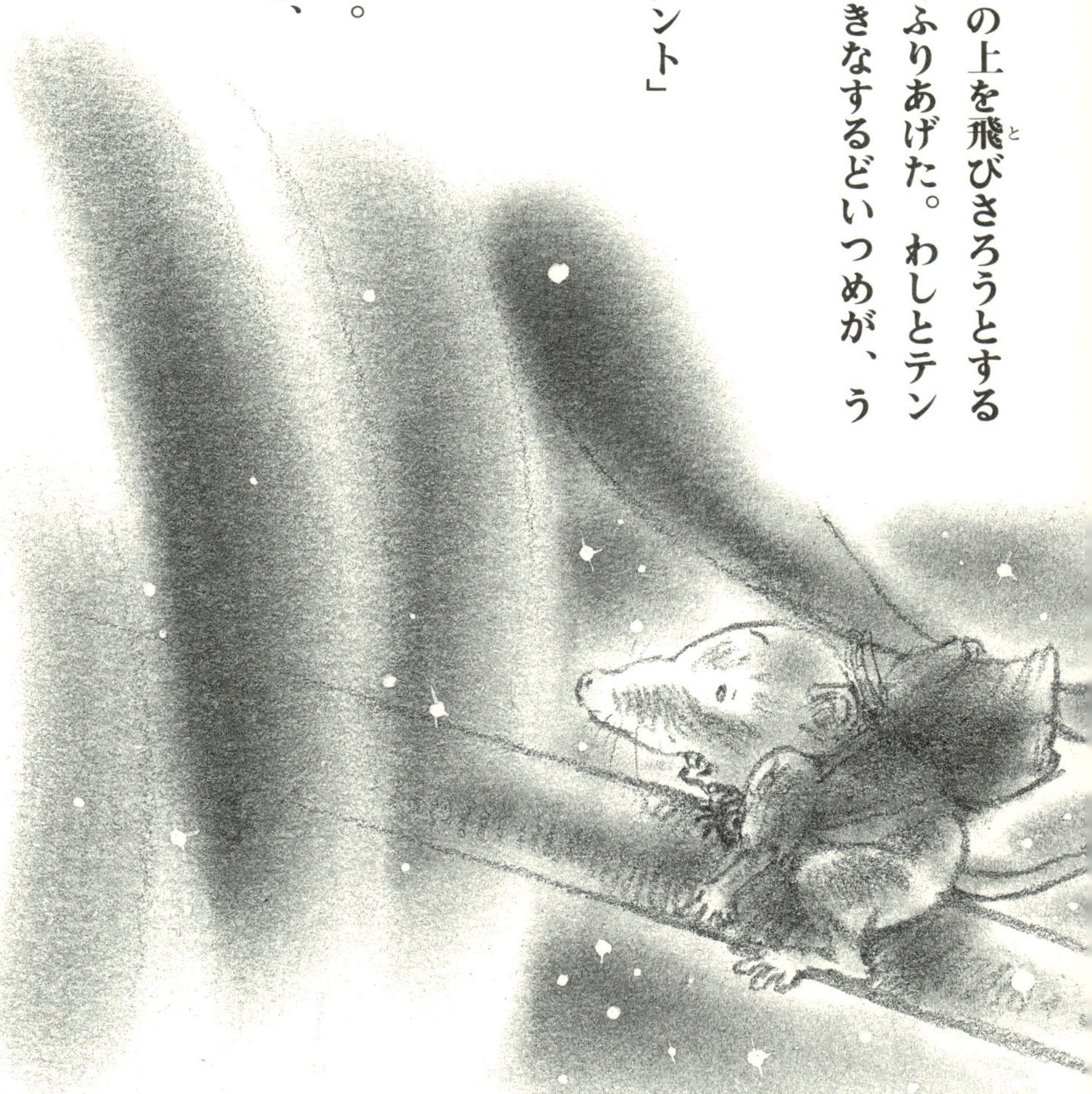

「あいつの声《こえ》だ！」

「声だ、あいつの！」

わしとテントがびっくりして、オオクマの足《あし》もとをさがした。トガリ山のとちゅうでわかれて、もう二度《ど》とあうことがないと思《おも》っていたあいつ。

いまここで、おんをかえすという！

山ネコのすがたが、とつぜん、オオクマの前《まえ》にうかびあがった。声《こえ》もしゃべり方《かた》もたしかにあいつだが、顔《かお》や体《からだ》つきはまるでちがう山ネコだ。

「そこをどけ、山ネコ！」

ワシがどなると、山ネコは、ひょいっと身《み》がるにとびはねて、わしたちのすぐそばにきて、

「トガリィ、リュックをはずし、ワシのつめからのがれるのだ」

とささやいた。

「リュックを！」

そうか、ワシがつめの先《さき》でひっかけているのは、わ

しの体《からだ》ではなく、背中《せなか》のリュックなのだ。リュックをはずせば、ワシからのがれられるかもしれない。

「よし、テント、リュックをはずすぞ」

「だいじょうぶ？　あいつ、また、トガリィをだまさない？」

テントがしんぱいそうにいった。

「そのときはそのとき、なんとかなるさ。テント、しっかりつかまれ」

テントはわしの頭《あたま》にしがみついた。わしは金《きん》いろの矢《や》にまたがったまま、なんとか背中からリュックをはずした。

わしとテントをのせた金いろの矢は、天《あま》の川《がわ》にむかってまっすぐにおちていった。ワシとオオクマのあらそう声《こえ》が、夜空《よぞら》に遠《とお》ざかっていった。

「やったぁ、あいつがたすけにきたんだ」

クックがはくしゅをした。

「もう、二度《ど》とあえないと思《おも》っていたのにね」

キッキがいうと、

「でも、ほんとにあいつなの？」

セッセが首《くび》をかしげた。

「あいつが星《ほし》になったんだよね」

クックがトガリィじいさんを見ると、

「それ、星座《せいざ》っていうんだよ」

キッキもトガリィじいさんを見た。

「星座の山ネコなら、ずっとむかしから宇宙《うちゅう》にいたはずだぜ」

セッセがうでぐみをした。

「そうか、きっと、あいつのおんを、山ネコのおんといって、宇宙《うちゅう》の山ネコがかえしてくれたんじゃない」

キッキがいうと、

「あいつと宇宙の山ネコは、しんせきなんだ」

クックがパチンと手《て》をたたいた。

「でも、なんでおじいちゃんの名前《なまえ》をしってたんだろう」

セッセが首をかしげると、

「空《そら》の上から、トガリ山にのぼっていくおじいちゃんやあいつのことを、ずっと見てたんだと思《おも》うな」

キッキがいった。

「そっか！」

クックがまた手をたたいた。

9　もうひとつの宇宙《うちゅう》

わしたちをのせた金《きん》いろの矢《や》が、天《あま》の川《がわ》にとびこんだ。天の川に星《ほし》のしぶきがあがり、いったんしずんだ金いろの矢は、すぐに天の川の水面《すいめん》にうかびあがった。金いろの矢をまん中に、星がはもんをつくってひろがった。

「だいじょうぶか？　テント」

「トガリィ、ぶかじょうぶだい」

頭《あたま》の上から、テントの元気《げんき》な声《こえ》がかえってきた。

北《きた》の空《そら》を、ワシとオオクマのあらそう声が、カミナリのようにかけめぐっている。

山ネコのおかげで、ワシからのがれて、天の川にもどってこられたが、これから、どうやってトガリ山のてっぺんにもどればいいのだろう。

「どうしよう、テント」

「トガリィ、どうする？」

上も下も、右も左も、前《まえ》もうしろも、どこを見ても、見えるのは星《ほし》と宇宙《うちゅう》のくらやみだけだ。

天《あま》の川《がわ》の島《しま》に、さっきの子ギツネがいるのが見えた。口に大きな鳥《とり》をくわえたまま空《そら》を見あげ、ワシとオオクマのあらそう声《こえ》に、しきりに耳を動《うご》かしている。

「この宇宙《うちゅう》のものは、この宇宙すべてのもの」

「金《きん》いろの矢《や》は、何百年《なんびゃくねん》も前《まえ》から、おれのものだ」

ワシとオオクマの声が、北の空から東の空に走《はし》ると、金いろの矢が星《ほし》の流《なが》れにゆれながら、ゆっくりとまわりはじめた。また、大きなうずにまきこまれたようだ。金いろの矢の先《さき》が、天の川の島《しま》の岸《きし》にむいたとき、子ギツネはピクッと首《くび》をのばした。

天《あま》の川《がわ》の星《ほし》の流《なが》れはさっきより速《はや》く、金《きん》いろの矢《や》は子ギツネにむかってどんどんすすんでいく。子ギツネはこちらにむけた顔《かお》をひきつらせ、くわえていた大きな鳥《とり》をはなした。

すると、それまでぐったりとしていた大きな鳥が、きゅうに生《い》きかえったように羽《はね》をのばし、バタバタとあばれた。白い毛《け》があたりに飛《と》びちり、流《なが》れ星《ぼし》のようにゆっくりと天《あま》の川《がわ》の川ぞこにしずんでいった。

子ギツネは、あばれる鳥《とり》には目もくれず、体《からだ》をひくくかまえると、ぴょんとはねて、天の川にとびこんだ。

「子ギツネ、こっちにくる」

テントがさけんだ。星《ほし》が子ギツネのまわりであわだち、子ギツネの体が銀《ぎん》いろにかがやいた。みどりいろの二つの目が、わしたちをにらみつけている。

金《きん》いろの矢《や》はまっすぐに子ギツネにむかってすすみ、子ギツネは、まっすぐにわしたちにむかっておよいでくる。

「たいへん、トガリィ、食《た》べられちゃう」

テントが頭《あたま》の上でなき声《ごえ》をだした。

「トガリネズミは、くさくて食《く》えない、ほんとうだ!」

わしが子ギツネにむかってさけんだときだ。とつぜん、金いろの矢と子ギツネのあいだに、星のしぶきがあがった。金いろの矢が大きくゆれ、わしは夢《む》中《ちゅう》でしがみついた。

「いま、このとき、
おんをかえさずして、
なにが、ほこり高《たか》き山ネコ。
夜空《よぞら》にうかびしわれなれど、
わすれちゃならねぇ
ひとのおん、ネコのおん。
おんをかえすは
ほこり高き山ネコのみち。
オーン！」

あいつの声《こえ》が、天《あま》の川《がわ》の岸《きし》にこだまして、山ネコが子ギツネの前《まえ》に立ちはだかった。山ネコの背中《せなか》のかげになって、子ギツネのすがたはよく見えないが、二ひきのあいだで、星《ほし》のしぶきがはげしく飛《と》びちった。

「コーン」

子ギツネの声が、天の川の島《しま》にむかって走《はし》ると、

「オーン」

山ネコの声がおいかけた。

天《あま》の川《がわ》の島《しま》の岸《きし》で、また星《ほし》のしぶきがあがった。

「オーン」

山ネコの声《こえ》が、夜空《よぞら》高《たか》くのぼっていくと、

「コーン」

子ギツネの声がそれをおいかけた。

金《きん》いろの矢《や》が、きゅうに南《みなみ》にむきをかえ、波《なみ》にゆれた。すぐにふりかえったが、もう、山ネコのすがたも子ギツネのすがたもきえさって、天の川の岸には、小さな星の波がチラチラとうちよせているだけだった。

「金いろの矢を、もちさってはならぬ！」

「何百年《なんびやくねん》も前《まえ》から、おれのもの！」

「ならぬ。この宇宙《うちゆう》すべてのもの！」

「おれのものは、おれのもの！」

ワシとオオクマの声《こえ》が、東《ひがし》の空《そら》から天の川の上にかけてきて、はげしくいいあらそった。

「やや、金いろの矢がないぞ！」

「トガリネズミとテントウムシめ、どこへ行《い》った！」

夜空《よぞら》をあばれまわっていたカミナリのような声《こえ》が、
からみあいながら、天《あま》の川《がわ》にむかっておちてきた。
ドドドォーン
天の川に宇宙《うちゅう》がひっくりかえるような音《おと》がとどろき、
太《ふと》い星《ほし》のしぶきのはしらが立ちあがった。

わしの体《からだ》は大きな波《なみ》におそわれ、金《きん》いろの矢《や》からもぎとられた。

星《ほし》の波《なみ》は、わしの体をはげしくおし流《なが》した。星のあわにもまれながら、わしの体はぐるぐるとまわった。

ドドォーン

ドドォーン

星の波は天《あま》の川《がわ》の岸《きし》からあふれでて、夜《よる》の空《そら》へとつっ走《ぱし》った。

「トガリィー！」

テントの声《こえ》が、頭《あたま》の上からかすかにきこえた。

「テント、しっかりつかまれ！」

わしは、もがきながらさけんだ。

わしとテントは、天《あま》の川《がわ》からあふれでた、滝《たき》のような星《ほし》たちといっしょに、ふかいこんいろの夜空《よぞら》をおちていった。

「あっ、てっぺんの湖《みずうみ》！」

また、テントの声《こえ》がきこえた。わしたちがおちていく先《さき》に、まるい月のようなものがぼんやりうかんでいる。たしかに、てっぺんの湖だ。湖をかこんでいるてっぺんのみねが、かすかに見えてきた。

「ワシがいる、ハクチョウも、子ギツネも！」

テントが、わしの頭《あたま》の毛《け》をひっぱった。

てっぺんの湖に、いままでわしたちがいた宇宙《うちゅう》がうつっている。もうひとつの宇宙があるみたいだ。

湖はぐんぐん近《ちか》づいてきた。

「あっ、トガリィも、ぼくもうつってる」

もうひとつの宇宙をしょって、わしとテントが湖にうつっている。

わしとテントは、もうひとりのわしと、もうひとりのテントにむかって、とっしんした。

もうひとりのわしの顔《かお》がはっきり見えた。顔がきんちょうでこわばった。

わしは、もうひとりのわしの中にとびこんだ。

水《みず》しぶきはあがらなかった。水面《すいめん》をつきぬけるとき、ツピッと、かすかな音《おと》がしたような気《き》がしただけだ。

わしは、音《おと》もない光《ひかり》もない、くらやみの中にうかんでさまよった。そこは、もうひとつの宇宙《うちゅう》なのか、それとも、わしの中の宇宙なのだろうか。

10

てっぺんのてっぺん

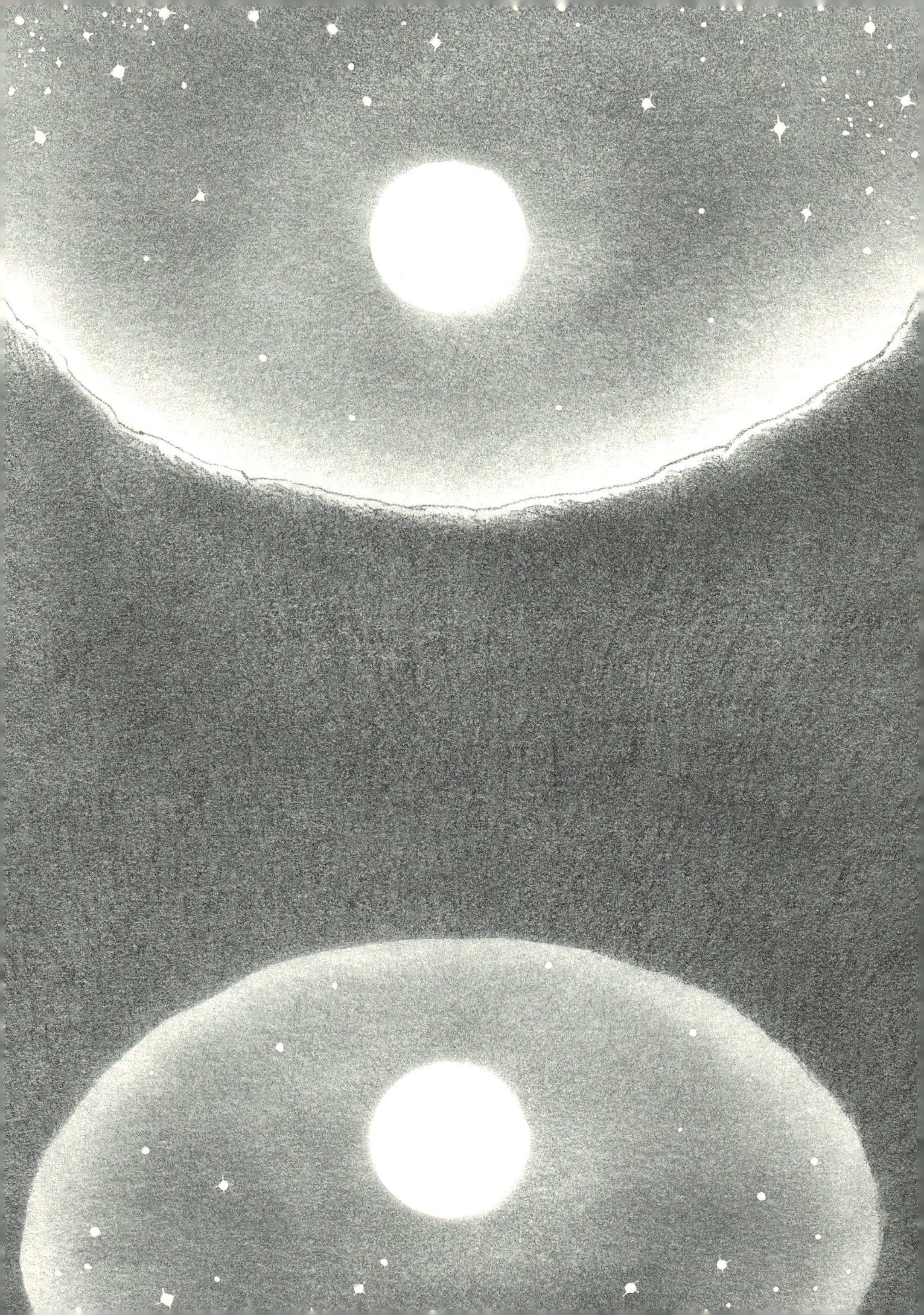

目をあけると、顔《かお》の上に、まるい星空《ほしぞら》がうかんでいた。まん中に天《あま》の川《がわ》がかがやき、南《みなみ》の空《そら》にまん月《げつ》がのぼっていた。あたりはしずまりかえっていた。

わしはどうして、ここにねているのだろう。すぐには思《おも》いだせなかった。目をあけただけで、体《からだ》はそのままにして、しばらく星空をながめていた。

そうだ、あの天の川に流《なが》され、ワシにさらわれて、宇宙《うちゅう》をさまよったんだ。わしは、星空の中に、ワシやオオクマや山ネコのすがたをさがした。さっきまで、カミナリのようにどなりあっていたのに、どこに行ってしまったのだろうか。見《み》えるのはたくさんの星たちだけだ。

わしはそっと体をおこした。すぐ下に、たくさんの星と、まるい月をうかべた、てっぺんの湖《みずうみ》が見えた。テントはどうしたのだろう。わしはあたりを見まわした。月の光《ひかり》が、まるい谷《たに》の中にさしこんでいて、赤《あか》や青《あお》や黒《くろ》や白の石の一つ一つをてらしだしていた。テントは石のあいだにうずくまってねむっていた。

「テント、テント」

わしがそっと背中《せなか》をたたくと、

「トガリィ、トガリィ、山ネコ、オーン」

テントがねごとみたいにつぶやいて、
しょっ角《かく》を動《うご》かした。

「テント、だいじょうぶか」

顔《かお》をのぞきこむと、

「ぶかじょうぶだい、トガリィ」

テントが目をこすりながらわらった。

わしとテントは、白い石の上にならんですわり、
まるい空《そら》を見あげた。

「あの、天《あま》の川《がわ》に行ったなんて、うそみたいだね」

わしが小声《こごえ》でいうと、

「うそみたい、ワシと宇宙《うちゅう》を飛《と》んだなんて」

テントも小声でいった。それからしばらく、わしと
テントは、だまって星空を見あげていた。

流《なが》れ星《ぼし》が一つ、南《みなみ》の空《そら》を飛《と》んだ。

「あそこが、てっぺんのてっぺん？」

テントが、流れ星がきえたあたりをゆびさした。南のみねに、とくべつとがった高《たか》い場所《ばしょ》があった。さっき、てっぺんのみねについたときには、気《き》がつかなかったが、いまは、月の光《ひかり》にてらされて、くっきりと見えていた。

「そうかもしれない。きっと、あそこがてっぺんのてっぺんだ。行ってみようぜ、テント」

わしが手をさしだすと、テントはうでづたいに、肩《かた》の上にのぼってきた。

わしは石のころがる坂《さか》をななめにのぼり、南のみねへとむかった。

そこには、黒《くろ》い大きな岩《いわ》がいくつもころがり、その中に、ひときわ大きい、先《さき》のとがった岩が立っていた。

「やっぱりあそこが、てっぺんのてっぺん」

わしはてっぺんのみねをぐるりと見まわした。

「テント、てっぺんのてっぺんにのぼろう」

「のぼろう、てっぺんのてっぺんに」

わしは、ちゅういぶかく、手のかかる場所《ばしょ》をさがしながら、ゆっくりと岩《いわ》をよじのぼった。黒《くろ》い岩はだに月明《つきあ》かりがあたり、つやつやと光《ひか》った。

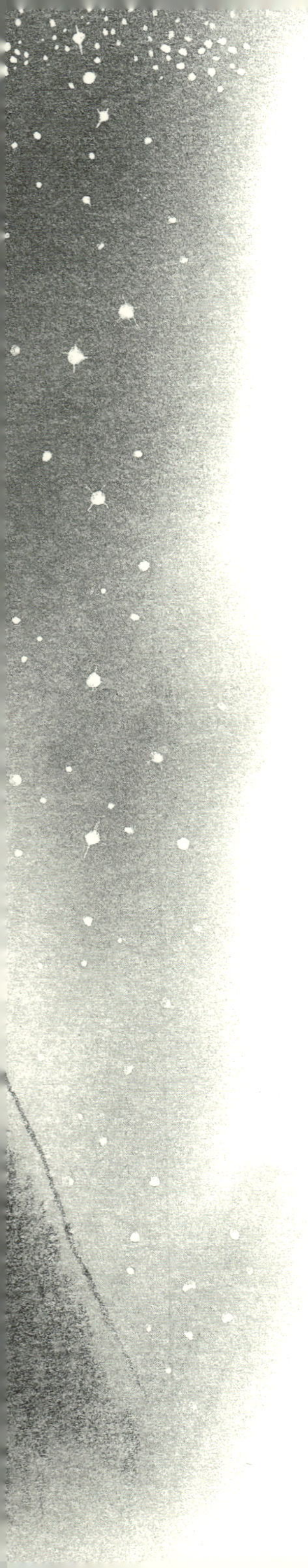

「やったぞ、テント！」

「トガリイ、やったぁ！」

わしとテントは、とうとう、トガリ山のてっぺんにたどりついた。

「ここが、てっぺん！」

「てっぺん、ここが！」

わしは、するどくとがったてっぺんの岩《いわ》に、だきついた。テントは、てっぺんの岩のいちばん先《さき》っぽに、とびうつった。てっぺんの岩はひんやりつめたかった。

頭《あたま》の上におおいかぶさるように、天《あま》の川《がわ》がドオーッと流《なが》れ、南《みなみ》の空に銀《ぎん》いろのまん月《げつ》がうかんでいる。星《ほし》たちが、わしとテントをとりかこんでいる。

「ほんとうに、てっぺんは天《てん》につきさささっている」

わしがささやくと、

「つきさささっている、ほんとうに」

テントも、うっとりといった。

下の方《ほう》で、かすかに風《かぜ》の鳴《な》る音《おと》がした。見《み》おろすと、

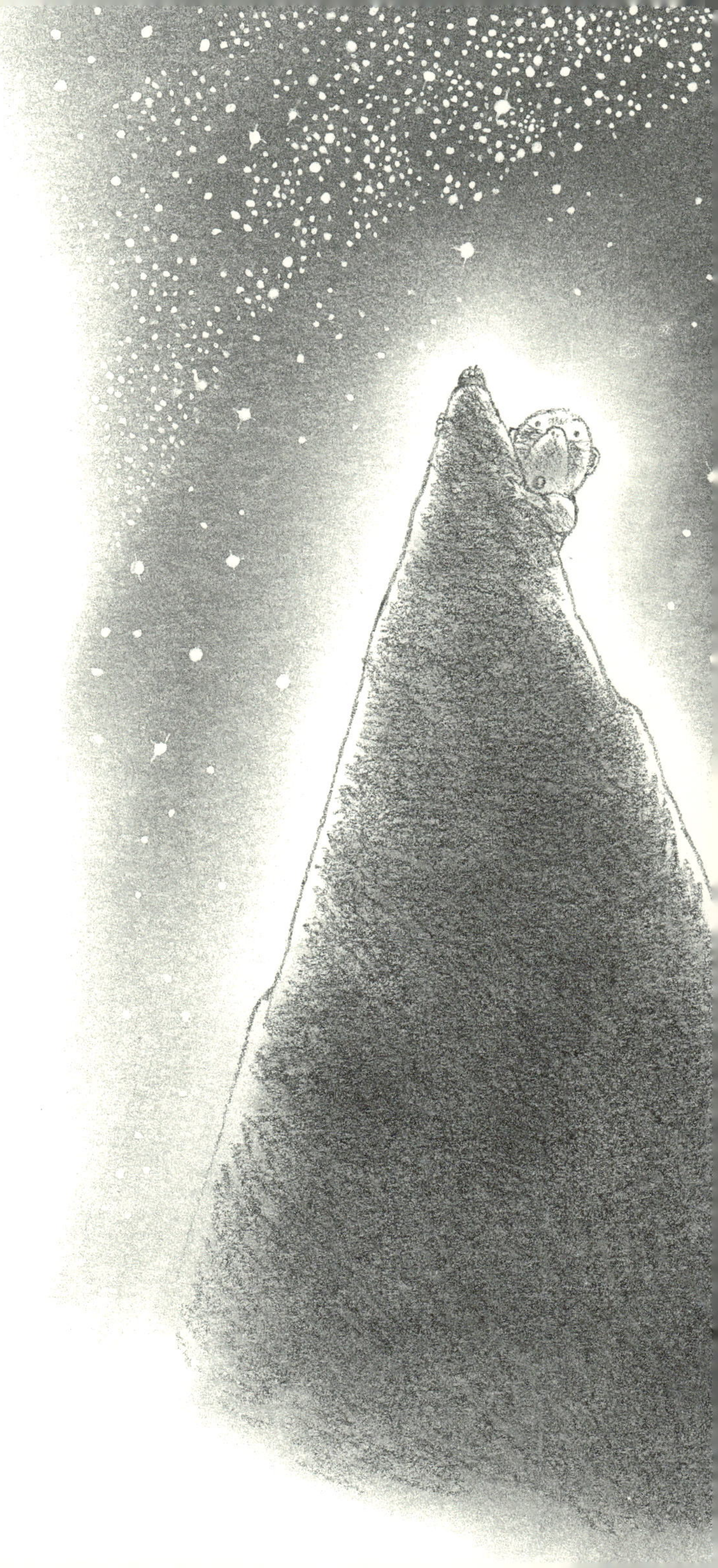

ま下に、星《ほし》たちとまん月《げつ》をうつした、てっぺんの湖《みずうみ》が見《み》え、そのそとがわに、黒《くろ》ぐろとしたヤミが広《ひろ》がっていた。

「あの、まっくらなところは、トガリ山の森《もり》かな」

「森だ、トガリ山の」

「あのくらやみの中に、ぬしさまがいて、ウロロやミロロや、ヒメネズミやギンネズミがくらしている」

「くらしている、ヤマネやナメクジ」

こん夜《や》は、トガリ山のてっぺんに、雲《くも》のぼうしがかかっていないらしい。森のくらやみのずっとむこうに、星《ほし》のように、かすかに光《ひか》っているものが見える。

「あれは、なんだろう」

「なんだ、あれは」

星のような光は、ほそいれつになってならんでいたり、いくつかかたまってまたたいている。

「あそこも、宇宙《うちゅう》?」

テントがいった。

「もしかしたら、あそこが、
あいつやヤマバトがいってた、
マチってとこじゃないか」
「マチってとこ？　もしかしたら」
たしかではなかったが、わしは、
なんとなくそう思《おも》ったのだ。

「ところでテント、これからどうする？」

「どうする？　トガリィ」

「ぼくは、あしたの朝《あさ》、太陽《たいよう》がのぼってきたら、トガリ山をおりて、ふもとの森《もり》へもどる」

わしはふもとのなかまたちのことを思《おも》った。

「これから、ふもとの森で、一人前《いちにんまえ》のトガリネズミとしてくらすんだ」

テントは、てっぺんの岩《いわ》の上で体《からだ》をまわして、森を見《み》まわすと、

「ぼくは、あしたの朝、太陽がのぼってきたら、トガリ山のてっぺんから、飛《と》びたつ」

といってむねをはった。テントの体に月の光《ひかり》があたって、星《ほし》のようにかがやいた。

「ふもとの草原《そうげん》で、一人前のテントウムシとして、くらすんだ」

「テント、また、ときどきあおうぜ」

「あおうぜ、ときどき、トガリィ」

わしとテントは、顔《かお》を見《み》あわせて、
うなずきあった。

それから、わしとテントは、ずいぶんながいこと、だまって星空《ほしぞら》をながめていた。

「トガリィが、宇宙《うちゅう》においてきた、リュックはどこ？」

ふと、テントがいった。

「まだ、ワシのつめの先《さき》かな」

わしとテントは、天《あま》の川《がわ》の岸《きし》のあたりをさがした。

「きっと、ぼくのリュック、星《ほし》になったんだ」

わしがいうと、

「星になったんだ、ほしミミズ」

テントがいった。わしとテントは、また顔《かお》を見あわせてわらった。

トガリィじいさんの、長《なが》い長いトガリ山のぼうけんの話《はなし》がおわっても、キッキとセッセとクックは、しばらくすわったまま、だまってトガリィじいさんの顔《かお》を見《み》ていた。

「とうとう、てっぺんについた」

キッキが、ため息《いき》をつくようにいった。

「てっぺんのてっぺん」

クックが立ちあがって頭《あたま》の上にてっぺんをつくった。

「テントがてっぺんのてっぺんから飛《と》びたつとこ、おじいちゃん見た？」

キッキがいった。

「つぎの朝《あさ》、トガリ山の森《もり》のむこうから、まっかな太陽《たいよう》がのぼってくる

と、テントは『えい！』とさけんで、てっぺんのてっぺんから飛《と》びたっていったよ。体《からだ》じゅうを赤《あか》くそめて、太陽《たいよう》にむかって飛んでいった。体は小さいが、テントはたいしたやつさ」

トガリィじいさんは、まるで飛んでいくテントを見《み》るように、てんじようを見つめた。

「それで、かえりは、テントとべつべつにおりてきたの？」

キッキがちょっとさびしそうな顔《かお》でいった。

「そう、テントはテント、わしはわしで、それぞれのくらす場所《ばしょ》にもどったのさ」

「トガリ山からおりるときも、たい

へんだった?」

セッセがいうと、

「また、ウロロにあった?」

クックがトガリィじいさんのそばにいって、ひざに手をのせた。

「おりるときはおりるときで、いろんなことがあったさ。それはまたいつか、話《はな》してきかせるからな。そうそう、ウロロにも、またであったよ。ミロロとウロロといっしょに、しあわせそうにしてた。ふたりはけっこんするんだっていってたよ」

「わぁ、よかったぁ」

キッキがうれしそうに両手《りょうて》をにぎりしめた。

「ヤマネは、まだいた?」

クックが手のひらで、トガリィじいさんのひざをたたいた。

「うんうん、あのヤマネのきょうだい、まだ、あのわかれの広場《ひろば》にいたんだ。もう一度《いちど》道《みち》をきくと、やっぱり、やぁまぁねぇ、としかいわなかったよ」

「やぁ、ねぇ、まぁ」

クックがおどけて、目を白黒《しろくろ》させた。

「あいつはどうしてるかな……」

キッキがつぶやくようにいった。

「あれから、トガリ山であいつにあうことはなかったが、夜空《よぞら》を見あげれば、オオクマの足もとに、いつもあいつそっくりの山ネコがいて、あ

いつを思《おも》いださせてくれるのさ」

トガリィじいさんが、めがねの上で、かた目《め》をつぶってみせた。

「それで、おじいちゃんはトガリ山にのぼって、一人前《いちにんまえ》になったの？」

セッセがきゅうにまじめな顔《かお》でいった。

「ふむ……」

トガリィじいさんはちょっと考《かんが》えて、

「じつは、トガリ山にのぼって一人前になったのか、いつ一人前になったのか、いまでもはっきりしないところがある。このとしになっても、どこか一人前じゃないところがのこっているような気《き》もするんだよ」

と、すまなそうに頭《あたま》をかいて、

「だが、トガリ山のぼうけんは、わしの一生《いっしょう》のたからものになった。トガリ山と山のなかまたちからの、すてきなおくりものだったのさ」

トガリィじいさんは、三びきの顔《かお》を見まわして、ほほえんだ。

「ふーん、一人前《いちにんまえ》って、かんたんそうで、けっこうむずかしいんだね」

キッキが両手《りょうて》にあごをのせた。

「ねぇねぇ、ほしミミズって、ほんとに星《ほし》になったの?」

また、クックがトガリィじいさんのひざをたたいた。

「おじいちゃんが宇宙《うちゅう》においてきた、リュックの星《ほし》って、いまでも見られる？」

キッキが立ちあがっていった。

「もちろん、いまでも見られるさ。天《あま》の川《がわ》を飛《と》ぶワシの足のつめの先《さき》に、かすかに見える小さな星《ほし》が、わしのリュックだ。ほしミミズといっしょに、二つだけの小さな星座《せいざ》になった。あまり小さくて、よっぽど空《そら》がはれていないと、よく見えないかもしれないけどな」

「リュック星《ぼし》とミミズ星《ぼし》、見にいこう！」

セッセも立ちあがった。

「いくいく、ぼくもいく」

クックも立ちあがって、ぴょんぴょんとはねた。

そとにかけだしていく三びきのまごたちのうしろから、トガリィじいさんも夜《よる》の森《もり》へでていった。
まっくろいかげになった木の葉《は》のあいだから、銀《ぎん》いろにかがやく天《あま》の川《がわ》の流《なが》れが見《み》えていた。

いわむら かずお

1939年東京に生まれる。東京藝術大学工芸科卒業。

1975年東京を離れ、家族とともに栃木県益子町に移り住む。

「14ひきのシリーズ」（童心社）や「こりすのシリーズ」（至光社）など多くの作品が、フランス、ドイツ、中国、スイスなど多くの国でもロングセラーとなり、世界のこどもたちに親しまれている。

『14ひきのあさごはん』（童心社）で絵本にっぽん賞、『14ひきのやまいも』で小学館絵画賞、『ひとりぼっちのさいしゅうれっしゃ』（偕成社）でサンケイ児童出版文化賞、『かんがえるカエルくん』（福音館書店）で講談社出版文化賞絵本賞、エリックカールとの合作『どこへ行くの？ To See My Friend!』（童心社）でピアレンツ・チョイス賞（アメリカ）受賞。

1991年日本各地の森や山を歩き取材を重ねた「トガリ山のぼうけん」シリーズがスタート、1998年全8巻完結。

1998年栃木県那珂川町に「いわむらかずお絵本の丘美術館」を設立。絵本・自然・こどもをテーマに活動を続けている。

「ゆうひの丘のなかま」シリーズ（理論社）「ふうとはな」シリーズ（童心社）「カルちゃんエルくん」シリーズ（ひさかたチャイルド）などは、美術館のある「えほんの丘」に暮らす生きものたちを主人公に描いた作品である。

2014年、フランス藝術文化勲章シュヴァリエを受章。
＊本書は1991年～1998年に刊行された「トガリ山のぼうけん」シリーズ（全8巻）の新装版です。

トガリ山のぼうけん⑧
てっぺんの湖 新装版

2019年10月 初版
2019年10月 第1刷発行
文・絵 いわむらかずお
ブックデザイン 上條喬久
発行者 内田克幸
編集 岸井美恵子
発行所 株式会社理論社
東京都千代田区神田駿河台二-五
電話 営業 03-6264-8890
編集 03-6264-8891
URL https://www.rironsha.com
印刷・製本 中央精版印刷株式会社
©1998 Kazuo Iwamura, Printed in Japan
ISBN978-4-652-20348-4
NDC913 A5判 22cm 151p
落丁・乱丁本は送料小社負担にてお取り替え致します。
本書の無断複製（コピー、スキャン、デジタル化等）は著作権法の例外を除き禁じられています。私的利用を目的とする場合でも、代行業者等の第三者に依頼してスキャンやデジタル化することは認められておりません。

トガリ山のぼうけん（全8巻）

いわむらかずお

第①巻『風の草原』

第②巻『ゆうだちの森』

第③巻『月夜のキノコ』

第④巻『空飛ぶウロロ』

第⑤巻『ウロロのひみつ』

第⑥巻『あいつのすず』

第⑦巻『雲の上の村』

第⑧巻『てっぺんの湖』

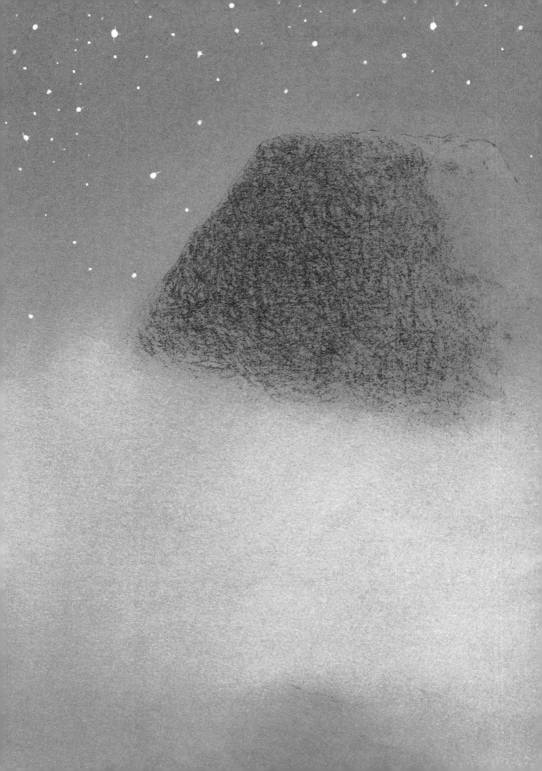